KB159721

불안해요?
지켜보는 저도 불안해요

불안해요? 지켜보는 저도 불안해요

공휴일 지음

가연

책을 펴내며

인천공항은 2001년 개항한 이래 우리나라와 세계를 연결하는 최대 관문입니다. 일반적으로 한 해 약 7,100만 명의 여행객들이 인천공항을 통해 드나들며 그 역할을 톡톡히 해냈습니다. 그러나 전혀 예상하지 않았던 코로나19가 전 세계에 퍼지며 우리 삶의 많은 것을 바꿔 놓았습니다. 작년 3월경부터 국가 간 이동에 제한이 걸리면서 하루에 인천공항을 이용하던 20여만 명의 이용객이 8천여 명 아래로 뚝 떨어졌습니다.

이러한 세상이 올 거라고 예상한 사람은 없었을 겁니다. 밤낮을 가리지 않고 여행객들이 오가며 하루 24시간 북적대던 인천공항이 이처럼 장기간 한산했던 적은 없었습니다. 해외여행객 수가 꾸준히 증가하며 여행 관련 프로그램도 성황리에 방영되었고, 많은 사람들이 휴가 때마다 '이번엔 어디를 가볼까?' 즐거운 고민을 하던 일도 이제는 아련한 추억이 되어가고 있습니다.

인천세관은 여행객들이 출입국할 때 항상 지나가야 하는 곳입니다. 그래서인지 코로나 사태 이후 여행자들이 급격히 줄어든 현실을 가장 크게 체감하는 곳들 가운데 하나이기도 합니다. 대부분의 여행자들에게 세관은 세금을 부과하고 징수하는 기관으로 여겨져 다가가기 어려운 곳이었는데, 요즘엔 어째 그 문턱이 더 높아진 느낌입니다. 썰렁하다 못해 쥐죽은 듯 조용하기까지 한 세관이 저희들도 낯설게 느껴지니까요.

이 책은 코로나19로 모두 힘든 현 상황에서 어떻게 하면 국민들에게 조금이라도 도움이 될 수 있을까를 고민하던 가운데 그간 공항에서 근무하면서 있었던 일들 중에 인상 깊었거나 특별했던 일들을 모아 책을 발간하면 좋겠다는 데에 의견이 모아져 기획되었습니다.

이 책으로 재미와 위로뿐 아니라 좀 더 친근한 세관으로 다가갈 수 있는 기회가 마련되었으면 합니다. 출발 전의 설렘과 여행지에서의 즐거움, 여행 후 밀려오는 행복함을 느낄 수 없는 안타까운 오늘의 상황 속에서 여러분에게 조금이나마 도움이 될 수 있기를 바라며….

Contents

Episode 01

Episode 02

Episode 03

Episode 04

Episode 05

Episode 06

Episode 07

Episode 08

Episode 09

Episode 10

나도 당신이 불안해서 미칠 것 같아요

• • •

똥꼬 전문 김 반장을 위로하며

우리 팀에는 똥꼬 전문 김 반장이 있다.

원체 유능한 김 반장이라 똥꼬에 무얼 넣어오든 두 시간이면 사건 종료다. 아무리 힘들어 봤자 병원에 데리고 가서 엑스레이 찍고 확인하면 되는 일이다. 김 반장은 어지간한 일에는 눈도 깜짝하지 않았다. 그런데 그날은 조금 달랐다.

C국에서 오는 항공편에 지명수배 중인 마약 밀수범이 타고 있었다. 마약 밀수범들이란 무릇 신체 은밀한 곳에 마약을 숨겨 오는 법. 그래봤자 똥꼬 은닉이겠지, 김 반장은 그렇게 생각했지만 그날 세관검사대에 온 지명수배자는 보통내기가 아니었다.

“아무개 씨, 당신을 마약류 관리에 관한 법률 위반 혐의로 체포합니다. 여기 판사가 발부한 영장 확인하시고요, 마약 가지고 온 것 있으면 빨리 꺼내놓으세요."

"뭐, 이 새끼야? 나보고 지금 마약 밀수범이라고?"

그는 입에 담지도 못할 욕을 퍼부으며 길길이 날뛰기 시작했다.

"지금 압수수색 영장이 있습니다. 신체 내 수색도 가능한 상황이고요."

그렇게 고지하자마자 이건 뭐, 타는 불에 기름을 부어놓은 양 펄펄 뛰며 고함을 질러대는데 정상적인 검사가 아예 불가능했다. 이렇게 강렬하게 저항하는 지명수배자도 드물었다.

"당신들 모르는 모양인데, 나 에이즈 환자야!"

그 말에 다들 주춤했다.

"내 몸에 손만 대 봐! 내 피 뽑아서 너희들한테 다 뿌려버릴 거라고!"

이런 경우는 정말 처음이었다. 에이즈 환자라니. 김 반장은 한숨이 절로 나왔다. 이건 뭐 스스로 배출하기는커녕 병원에 가서 꺼낼 수나 있을까?

난동을 부리는 지명수배자를 양쪽에서 결박하고 입국장 밖으로 데리고 나왔다. 어찌나 고함을 질러대는지 공항 지하에 있는 병원까지 데리고 가는 동안 김 반장은 귀가 터질 것만 같았다. 듣도 보도 못한 욕설들이 튀어나오고, 심지어 결박한 수사관의 손을 물어뜯으려고도 했다. 정신이 홀랑 빠질 지경이었다. 공항을 지나는 사람들이 그 난리통을 수군대며 지켜보았고, 그 시선이 따가워 김 반장은 피부가 다 타는 느낌이었다.

지명수배자는 병원에서 엑스레이를 찍는 동안에도 온갖 난동을 부렸다.

"자꾸 이러시면 진정제 놓고 시작합니다!"

결국 의사의 협박 아닌 협박에야 간신히 엑스레이 촬영을 마칠 수가 있었다. 역시나 그의 똥꼬 안에는 마약이 들어 있었다.

이런 경우 대부분 스스로 배출을 하게 되지만 이 지명수배자는 애초 그럴 생각이 없었고, 의사의 손길조차 강력히 거부했다. 강제 배출을 시킬 수도 없었다. 에이즈 환자였기 때문이었다. 상처라도 나게 된다면 정말 긴박한 상황까지 갈 수 있는 문제였으니까.

"어쩔 수 없어요. 대형병원으로 가시죠. 항문외과 전문의의 수술이 최선이에요."

김 반장도 수사관도 한숨을 쉬었다.

"공항에 오래 있었지만 이런 환자는 정말 처음이네요. 보통 오셔서 엑스레이 찍고 마약 꺼내면 끝인데. 저도 나름 이쪽 경험이 풍부한데 말입니다, 이 환자는 감당이 안 되네요."

의사도 포기 선언을 했기에 결국 지명수배자는 대형병원에 입원했다. 항문외과 전문의의 집도로 수술이 진행되었고, 결국 그의 은밀한 똥꼬 안에서 필로폰은 세상으로 나오게 되었다.

장장 이틀에 걸친 여정이었다.

“세관에 신고하실 물건 있나요?”

“없는데요?”

허허, 그렇다면 사람 얼굴을 똑바로 못 볼 이유가 있겠는가. 김 반장은 속으로 코웃음을 쳤다. 누가 봐도 여행객의 얼굴은 불안에 차 있었다.

‘나 지금 불안해서 미칠 것 같아요…….’

여행객은 온몸으로 그렇게 말하고 있었다.

‘그래요……. 나도 당신이 불안해서 미칠 것 같네요…….’

김 반장도 속으로 중얼거렸다.

김 반장과 수사관은 신변검색과 인터뷰 진행을 위해 여행객을 데리고 조용한 사무실로 이동했다. 그런데 사무실로 걸어 들어가는 그의 뒷모습이 어딘가 어색했다. 김 반장은 그 모습을 유심히 지켜보다가 의자를 내어주었다. 몇 가지 질문이 오고 가는데 여행객의 표정이 영 좋지 않았다.

“의자에 제대로 앉지도 못하시네요. 지금 어디 불편하세요?”

그가 우물쭈물 대답했다.

“저, 그게 제가 지금 배가 좀 아파서…….”

“솔직하게 얘기해 보세요. 안쪽에 뭔가 넣으신 것 같은데, 지금 그거 꺼내야 해요. 안 그러면 생명이 위험해질 수도 있어요.”

그는 거의 포기한 얼굴로 말을 이었다.

"그게, 누가 이렇게 하면 돈을 벌 수 있다고 해서…… 아휴, 그래서 제가 뭘 좀 넣긴 했는데, 저 이제 어떡해야 하죠?"

그는 배가 많이 아픈 모양이었다. 똥꼬에 마약 덩어리를 넣고 왔으니 괜찮을 리가 없지. 김 반장이 그를 설득했다.

"본인이 직접 배출하는 게 제일 좋아요. 그게 어렵다면 병원에서 엑스레이 찍고 강제 배출하셔야 하고요."

"그럼 그냥…… 제가 해 보겠습니다. 그런데 여기선 좀 그런데……."

"알겠습니다. 그럼 화장실로 가시죠."

김 반장은 안도했다. 오늘은 금방 끝낼 수 있겠어!

"여기 비닐 깔아놓은 곳에서 해결하세요. 그리고 몸 안에서 꺼낸 물건은 증거품이 될 거예요. 증거품 훼손 방지를 위해 직원이 동행할 겁니다. 우리가 보는 앞에서 꺼내야 하는 거, 이해하시나요?"

김 반장은 장애인 화장실 안에 비닐을 넓게 깔아놓고 그에게 말했다. 그가 끄덕였다.

"네, 알겠습니다……."

그는 비닐 위에 쭈그리고 앉아 흡흡! 하며 힘을 주었다. 김 반장으로서는 몇 번을 겪어도 도무지 적응되지 않는 순간이기도 했다. 그래도 그의 은밀한 곳에서 곧 밀봉된 마약 덩어리가 나올 것이라 생각하니 이미 일을 다 해결한 사람처럼 마음이 편했다.

그런데 그때 또로롱 통통! 맑고 청아한 소리가 울렸다.

"무슨 소리야, 이건?"

다시 들렸다. 또로롱 통통! 또로로롱 통통통!

그랬다! 이건 금괴가 대리석 바닥에 떨어지는 소리였다!

"조사관실 금괴 밀수 담당 호출 좀 부탁드릴게요. 마약인 줄 알았는데…… 여기 이분, 금똥을 누고 계시네요."

김 반장은 그렇게 큐브 모양 금괴 다섯 개를 항문에 숨긴 밀수 사범을 적발했다.

"어이, 김 반장! 마약은 안 찾고 이게 무슨 일이야? 마약이 모자라? 이제 금괴까지로 영역 확장 중인 거야?"

김 반장은 머리를 긁적였다.

"역시 똥꼬 전문이야. 투시력 있는 거 아닌가 몰라. 우리야 뭐, 이렇게 김 반장이 똥꼬 은닉 금괴 밀수범 잡아다 주면 험한 꼴 안 보고 좋긴 하지만."

"그러게요. 오늘 촉이 딱 똥꼬였는데, 한 끗이 틀렸네요. 여기 증거품이랑 이 사람 여권입니다. 나머지 사건 처리 부탁드릴게요."

김 반장은 그동안 마약 밀수범들을 숱하게 검거했다. 어떤 밀수범은 비닐과 콘돔으로 감싼 마약 150g을 항문에 넣어온 적도 있었다. 그런데 이제 금괴라니. 큐브 모양 금괴가 성인 남성의 항문에 여섯 개까지 들어간다고 한다. 그 상태로 비행기를 타고 몇 시간을 날아오고도 멀쩡하다.

어쨌거나 타인이 싼 변을 헤집으면서까지 마약과 금괴를 찾아내고 있는 우리의 동료, 수많은 김 반장들에게 심심한 위로와 응원을 전한다. 당신들이 있어 우리가 그래도 참 살 만하다.

미스터리 조각상

"너무 예쁘다……."

유럽의 작은 골목이었다. 나는 소녀 모양 조각상을 보자마자 그만 마음을 홀랑 빼앗겼다. 어릴 적부터 꿈에 그리던 유럽 여행을 떠난 길이었다. 여행을 기념할 만한 물건을 찾던 중에 발견한 조각상은 그리 비싸지도 않았다.

나는 얼른 지갑을 열어 30유로를 치렀다. 작지 않은 크기라 여행을 하는 내내 불편했지만 한국에 돌아가 이 예쁜 조각상을 올려둘 생각에 그저 들뜨기만 했다. 하지만 귀국 비행기에서 내려 캐러셀*에서 내 캐리어를 발견한 나는 그만 깜짝 놀라고 말았다. 말로만 듣던 세관 자물쇠가 달려 있었다. 저게

* 캐러셀: 수하물 찾는 곳의 컨베이어 벨트.

세관씰[*]이라는 거구나……. 그런데 내가 뭘 잘못했다고? 가져오면 안 되는 물건이 있었기에 세관씰이 달린 것일 텐데 아무리 생각해도 문제 될 것이 없어 보였다. 공연히 주눅이 들어 주춤주춤 입국장을 나가려는데 삐이! 요란스럽게 알람이 울렸다. 세관직원이 다가와 나를 검사 장소로 데려갔다.

"신고할 것이 있나요?"

"없는데요."

애써 당당한 목소리로 말을 하기는 했지만 가슴이 쿵쾅대는 것까지는 어쩔 수 없었다.

세관직원은 내 짐을 몇 번이나 엑스레이에 넣었다 뺐다 하며 심각한 표정을 지었다. 마침내 직원이 집어낸 물건은 소녀 조각상이었다.

"왜 그러시는 거예요? 뭐가 잘못됐나요?"

"조각상은 어디서 구매하셨어요?"

"그냥…… 유럽 여행 중에 산 건데……."

"어떤 이유로 구매하신 거죠?"

"예뻐서요……. 장식용으로요."

세관직원의 표정은 몹시 진지했다. 순간 억울한 마음이 울컥 올라왔지만 그렇다고 내가 할 수 있는 일도 없었다.

* 세관씰: 해당 짐이 세관검사를 받아야 한다는 표시.

"엑스레이로 보니 조각상 안에 다른 물건이 있는 걸로 보여요."

"네에? 다른 물건요?"

세관직원은 조각상을 문질러 보기도 하고, 흔들어 보기도 했다.

"마약이 들어 있을 가능성도 있어서요. 저희가 이 조각상 안을 좀 볼 수 있을까요?"

"마약이라고요?"

나는 입이 쩍 벌어지고 말았다. 아니, 그냥 예뻐서 산 건데 그 안에 마약이라니. 나야말로 말을 잃을 지경이었다. 세관직원이 다시 물었다.

"조각상을 깨보는 수밖에 없어요. 괜찮으실까요? 아무 일 없으면 조각상 가격은 보상해 드릴 거예요."

승낙할 수밖에 없었다. 정말 마약이 들었을까? 호기심도 일었고 동시에 두려움도 들었다. 나는 조마조마한 마음으로 조각상이 두 조각 나는 걸 지켜보았다. 하지만 조각상 속에 든 건 마약이 아니라 시멘트 덩어리였다. 조각상의 중심을 잡기 위해 넣어둔 시멘트 덩어리. 그제야 긴장이 풀린 나는 깨져버린 조각상이 아까워 시무룩해지고 말았다.

세관직원은 몇 번이나 사과했고, 파손 비용으로 30유로도 모두 돌려주었다. 물론 마약이 아닌 것은 다행이었지만 여행 내내 꾹 참고 들고 다닌 조각상이었는데, 아쉬운 마음은 어쩔 수 없었다. 세관직원의 거듭된 사과에 심통을 부릴 처지도 아니었다.

3년 후 나는 세관공무원이 되었다. 장식품 안이나 옷 안감 속에 마약을 숨겨오는 사람들도 잡아내는 세관공무원 말이다. 그렇게 인천공항 입국장에 근무하다 보니 그때 내 조각상을 동강 내 버린 세관직원의 마음이 충분히 이해된다. 미안한 마음에 어쩔 줄 모르고 사과하던 그 모습이 지금도 가끔 떠올라 나는 혼자 웃곤 한다. 나도 여행객들의 마음에 공감하고 배려할 수 있는 세관직원이 되고 싶기도 하고 말이다.

호기심 천국

대한민국이 마약 청정국이냐고?

이전엔 그랬다. UN 기준으로 인구 10만 명당 마약사범이 20명 미만일 경우 청정국이라고 하는데, 우리나라는 이미 2016년에 28명을 기록했다. 이제 대한민국이 마약 청정국이 아니라는 말이다.

사람들은 흔히 연예인이나 재벌가, 유명인의 자녀들이나 마약에 손대는 것이라 생각하지만 사실 일반인 마약사범도 자주 검거된다. 해외 유학과 여행이 대중화되고 인터넷이 활성화되면서 마약에 쉽게 접근하게 되었다는 것이 전문가들의 의견이다.

대학생 A는 친구와 미국 여행을 떠났다가 우연히 마약을 접했다. 클럽에서 만난 친구들이 권하는 젤리 한 개를 먹은 것이었다. 친구들의 상태가 조금 이상하다 싶었지만 그저 술에 취한 것이라고만 생각했다. 나중에야 그 젤리가 대마로 만든 것이라는 걸 알게 되었다.

여행을 마치고 귀국한 A는 세관검사대로 왔다.

"신고할 것 있나요?"

"없는데요."

나는 A의 짐을 샅샅이 검사했고, 별다른 이상은 발견하지 못했다. 마지막으로 마약검사를 시행했는데, A의 여권과 옷가지에서 마약 양성반응이 나왔다.

"해외에서 마약을 했나요?"

A는 우물쭈물하다 대답했다.

"모르고 먹었어요……."

나는 마약조사 담당 직원을 호출할 수밖에 없었다.

"나중에야 안 거예요. 정말 몰랐단 말이에요. 그리고 미국에선 대마가 합법이잖아요. 여기서 문제가 될 줄은 몰랐어요!"

우리나라는 속인주의를 채택하고 있어 거주하는 국가에 관계없이 모든 한국인은 대한민국의 법을 적용받는다. 즉, 마약이 합법인 나라에서 투약했다고 하더라도 국내법으로 처벌할 수 있다는 것이다. 결국 A는 마약 투약 혐의로 처벌받게 되었다.

A처럼 내가 모르는 사이에 마약사범이 될 수도 있다. 모르는 사람이 권하는 정체불명의 식품은 절대 먹어서는 안 된다.

B는 유명인의 자녀였다. 해외 유학 중 같은 학교 친구의 권유로 마약을 처음 접했다. 20대 초반의 어린 나이였다. 순식간에 마약에 중독되었고, 두 달이나 되는 여름방학을 마약 없이 한국에서 보낼 일이 걱정되었기에 결국 가방 안쪽에 마약을 숨겨 오기로 결심했다.

"가방을 엑스레이 검색기 안에 넣어주세요."

공항에 내린 B는 세관직원의 안내에 바짝 긴장했다. 식은땀이 흘렀다. 소량이라 걸리지 않을 것이라고 생각했지만 착각이었다. 세관직원은 엑스레이 화면에 나타난 수상한 음영을 놓치지 않았고 나는 B의 가방을 수색했다. 처음에는 아무것도 발견하지 못했다. 조금 더 깊이 수색했을 때 손끝에 무언가가 잡혔다.

"여기 뭐가 있는데요?"

가방 안쪽 안감을 뜯은 후 마약을 숨기고 도로 바느질을 해놓은 것이었다. 사색이 된 B가 무릎을 꿇은 채 울음을 터뜨렸다.

"한 번만 봐주시면 안 돼요? 아빠가 알면 저 죽어요! 제발요!"

소용없는 일이었다.

"저희도 어쩔 수 없습니다."

"그냥…… 호기심으로 시작한 건데. 먹고 나면 기분이 좋아져서……. 그런데 시간이 지날수록 자꾸 찾게 됐어요. 한 번만 봐주세요, 네?"

B는 눈물을 흘리며 직원들을 붙잡고 애원했다.

"친구한테 제발 돈을 줄 테니 마약을 구해달라고, 한밤중에 찾아가기도 했어요. 도저히, 도저히 끊을 수가 없었어요."

빈번한 마약 투약은 의존성으로 이어지기 마련이다. 나중에는 마약을 입수하기 위해 범죄행위도 서슴지 않게 될 만큼 정신적 의존도가 높아진다. 실직, 이혼, 가정파탄, 감염 등으로 끝내는 경우가 적지 않다.

직장인인 C와 D는 인터넷에서 수상한 광고를 보았다. 태국에 가서 마약을 받아 한국으로 가져다주기만 하면 큰돈을 손에 쥘 수 있다는 거였다. 그들은 유혹을 이기지 못했고 그들에게 덜컥 연락하고 말았다.

C와 D는 자연스럽게 보이기 위해 부부 행세를 하며 태국으로 떠났고, 현지에서 마약을 받아 한국행 비행기에 올랐을 때만 해도 모든 일이 순조롭게 풀릴 줄 알았다. 그들은 입국심사를 마치고 캐리어를 찾기 위해 입국장에 섰다. 항상 사람들로 붐비는 곳이라 아무도 그들의 범죄를 눈치채지 못할 거라 예상했지만, 언제나 그랬듯 그곳에는 그들을 지켜보는 세관의 날카로운 눈이 있었다.

"저 사람들, 행동이 좀 이상하네요. 자꾸 주위를 두리번거리는 게 불안해 보여요. 아무래도 검사가 필요하겠네요."

동료직원의 말에 나는 C와 D를 불러 그들의 몸과 짐을 꼼꼼히 검사했다. 한 번에 찾아내는 일은 쉽지 않았다. 마약을 운반하는 이들도 머리를 짜내며 은닉을 했을 테니 말이다.

"신발을 좀 벗어주시겠어요?"

역시 거기였다. C와 D의 신발 밑창 아래에서 지퍼백에 담긴 흰색 가루가 발견되었다. 평소 마약과는 아무 상관없이 살던 그들은 한순간 유혹을 견뎌내지 못한 대가로 처벌을 받게 되었다.

마약은 판매, 유통뿐 아니라 운반, 소지, 투약도 처벌 대상이다. 우리나라에서 마약은 강력범죄로 분류되며 마약류관리에 관한 법률 제61조에 따라 5년 이하의 징역 또는 5천만 원 이하의 벌금이 부과된다.

중국은 우리나라보다 처벌의 강도가 더 강하다. 중국어로 '독품(毒品)'이라고 하는 마약을 유통할 경우 수량과 관계없이 모두 형사 처벌을 받는데, 무기징역에서 사형까지도 받을 수 있는 중범죄다. 실제로 과거 한국인 마약사범이 중국에서 사형을 받은 적도 있다.

마약은 한 개인의 삶을 파괴하고 나아가 큰 사회적 문제를 일으키는 사회악이다. 한순간의 실수나 호기심으로라도 절대 발을 들여서는 안 되는 세계라는 것을 모두 명심했으면 좋겠다.

마약사범이 오던 날

"마약 밀수 신고 제보가 들어왔어요! 모두 정신 바짝 차리세요!"

마약이라고?

이 어마어마한 제보 소식 앞에서 나는 가슴이 쿵쾅거렸다. 얼마 전 동기가 마약 50g을 적발해 표창장을 받은 것을 보며 은근히 부러웠는데, 나라고 못 할 건 없었다. 설레기까지 했다.

한참 더운 날이었다. 마약사범이 탔다는 비행기의 도착 방송이 나오고 우리는 캐러셀 주위에서 대기했다. 단체 여행객을 비롯해 출장자들, 고가물품 구매자, 보따리상 등 수많은 사람이 캐러셀 주위에 서서 수하물을 기다리고 있었다. 하지만 제보와는 달리 젊은 남자는 보이지 않았다. 대부분의 승객은 수하물을 찾아 입국장을 빠져 나갔고 우리는 조금 망연해졌다.

허위 제보일까? 그럴 리 없는데.

"화장실에 누가 있어."

직원 하나가 외쳤다.

대기하고 있던 직원들이 화장실로 들어가 확인한 후 젊은 남자가 있다는 수신호를 보냈다. 우리는 무전을 치며 경계를 강화했다. 드디어 화장실 밖으로 나온 동남아시아 출신 젊은 남자는 주변의 서늘한 시선에 당황한 듯 보였다. 쭈뼛거리며 세관신고대로 가서 신고서를 작성하기 시작했다. 2, 3분이면 끝낼 일을 5분도 넘게 꾸물거리고 있었다. 영화에서 보던 냉철하고 번득이는 마약사범이 아니라 조금 실망스럽기까지 했다. 천천히 한 글자, 한 글자 신고서를 쓰며 최대한 자연스럽게 선별라인*을 빠져나갈 일을 고민하는 것 같았다.

신고서를 내고 가는 젊은 남자를 동료직원이 내가 있는 검사대로 안내해 데리고 왔다. 갓 스물이나 넘었을까. 앳된 얼굴의 그에게 내가 물었다.

"신고할 것이 있나요?"

그는 대답하지 않았다.

흠……. 입을 다무시겠다? 그렇다고 이곳을 쉽게 빠져나갈 수 있을 거라 생각한다면 오산이라고!

* 선별라인: 여행자가 세관신고서를 제출하는 구역.

나는 가방을 확인했다. 대충 벗어서 말아놓은 체육복 바지 하나와 반소매 티셔츠가 전부였다. 그렇겠지. 가방 안에 보이게 넣어올 리가 없지! 나는 직원에게 검사 결과를 전달한 후 신변검색을 위해 안쪽 사무실로 인도했다.

몸수색을 맡은 직원이 촉수검사를 하자 다리 쪽에 뭔가 두툼한 것이 드러났다. 직원은 긴장한 듯 우리를 쳐다보았고, 우리 역시 숨죽인 채 상황을 지켜보았다. 심장이 터질 것만 같았다.

바지를 내리자 허벅지 안쪽에 비닐로 감싸놓은 무언가가 있었다. 역시 제보가 맞았어! 우리 오늘 한 건 한 거라고! 잔뜩 상기된 얼굴로 우리는 마약 테스트 시약을 준비했다.

어린 나이에 어쩌자고 마약을 가지고 와 처벌을 받는 걸까. 청년을 보니 안타깝기도 했다. 물론 마약을 적발했다는 뿌듯함도 있었다. 비닐에 싸인 마약은 개당 200g은 족히 될 것 같았다. 얼마나 많은 사람이 투약할 수 있는 분량인지, 가격은 어느 정도인지 감도 오지 않았지만 우리는 들떠 있었다.

"이게 뭐죠? 이걸 왜 가져온 거죠?"

직원이 서툰 영어로 물었지만 그는 여전히 대답이 없었다. 영어를 못 하는 것인지 못 알아들은 척하는 것인지 알 수 없었다. 몸짓으로 물어도 입을 꾹 다물고 있을 뿐이었다. 이 상황에서 묵비권이라니. 그래 봐야 넌 이제 끝났어!

"마약 조사 직원 불러."

팀장님의 말에 우리는 마약 조사 직원을 호출하고, 샘플을 채취해 마약 테스트 시약에 넣었다. 모든 일이 순조로운 듯했다. 그런데, 마약 테스트 시약에 반응이 없었다. 뭐지? 당황한 우리는 다른 시약을 가져와 테스트했지만 마찬가지였다. 의아해진 우리는 서로의 얼굴만 쳐다보았다. 그때 마약 뭉치를 유심히 살펴보던 팀장님이 말했다.

"이게 뭐야?"

"왜…… 그러세요?"

"나 참, 이 자식 뭐 하는 놈이야?"

"왜요? 뭔데요?"

우리는 팀장님 곁으로 오글오글 몰려들었다.

"이거 설탕이잖아! 마약이 아니라 설탕!"

"네에?"

설탕이라고? 마약이 아니라고? 이게 대체 무슨 소리야? 그때 조사 직원과 통역사도 도착했다. 팀장님의 질문을 통역사가 전달했다.

"이걸 왜 허벅지에 붙여왔어요? 설탕을 왜요?"

"그게……."

"대답하세요."

"직원들이 잡는지 안 잡는지 테스트해 보려고요……."

청년의 대답이 기가 막혔다.

"마약을 가져오기 전에 설탕으로 연습을 좀 해 보려고……."

우리는 모두 맥이 탁 풀리고 말았다. 오랜 기다림 끝에 드디어 마약 밀수 적발에 성공하나 했는데, 그 달콤한 꿈은 산산이 흩어지고 달콤한 설탕만 남아버렸다.

청년은 우리에게 잔잔한 미소를 남기고 유유히 입국장을 떠났다. 우리는 표창장 대신 설탕만 손에 쥐었을 뿐이었다.

금기어를 내뱉은 죄

병원 응급실에서 절대 하지 말아야 할 금기어가 있다면 바로 '오늘은 한산하네요.'일 것이다. 그랬다간 운명의 신이 심술이라도 부리듯 애앵애앵, 요란한 소리를 내며 구급차가 도착하곤 하니까 말이다. 말하자면 입방정 같은 거랄까. 세관에서도 그 징크스는 마찬가지일 텐데, 나는 속없이 그만 그 금기어를 내뱉고 말았다.

"와, 오늘따라 정말 한산한데요? 매일 오늘 같기만 했으면!"

야간근무 날이었다. 그날은 정말이지 한산했다.

"우리 저녁 뭐 먹을까?"

김 선배도 느긋하긴 마찬가지여서 우리는 저녁 메뉴 생각을 하며 들떠 있었다. 이제 막 도착한 항공편 검사가 끝날 즈음에 먼저 식사하러 간 직원들이 교대하러 와 줄 것이었다.

"오늘은 구내식당 어때? 메뉴 괜찮던데?"

그때 여성 여행객 한 분이 직원의 안내를 받아 세관검사대로 들어왔다. 앳된 얼굴이었다. 이제 갓 스물을 넘겼으려나. 그녀는 아무렇지 않은 얼굴로 내 앞에 섰다. 불안할 것이 없다는 표정이었다. 나는 여권을 받아 들었다.

"혹시 신고하실 물건 있나요?"

그녀가 대답하기도 전에 삐삐삐, 신호음이 울렸다. 마약이 감지된 것이었다. 아주 강한 수치였다. 메스암페타민. 일명 필로폰이다. 이쯤 되면 좀 더 정밀한 검사가 필요했다.

나는 그녀의 작은 배낭을 받아들고 물건들을 하나씩 꺼내 보았다. 옷가지 몇 점과 간단한 세면도구, 화장품 몇 개…… 응? 이건 뭐지? 내 눈에 들어온 건 콘돔 상자였다. 열 개들이 콘돔 상자에는 일곱 개만 남아있었다. 나는 그녀를 조용한 사무실로 데리고 갔다. 그녀는 순순히 사무실로 따라왔는데, 얼굴에는 그 어떤 초조함이나 불안도 찾아볼 수 없었다.

"짐 속에서 마약 반응이 나왔습니다. 그래서 좀 더 자세한 검사가 필요하고요."

"그러세요. 뭐, 저는 괜찮아요."

그게 뭐 대수겠냐는 듯 경쾌하게 미소까지 지어 보였다. 일반적인 여행객이라면 이런 상황에서 설사 죄가 없더라도 긴장하고 당황하기 마련인데, 너무나 태연한 행동이 오히려 의심스러웠다.

물론 마약 반응이 나왔다고 해서 모두 범죄자인 건 아니다. 다른 장소에서 묻어오는 일도 있고, 드물지만 기계 오류인 경우도 있으니 말이다. 세관직원들이 신중하고 꼼꼼해야 하는 이유다.

김 선배와 경험 많은 다른 선배들도 검사를 도왔다. 짐을 다시 꼼꼼하게 확인하고 인터뷰도 추가로 시도했다. 시간이 조금씩 흐르자 전과는 달리 여성의 태도가 이상했다. 과장되고 장난스러운 웃음을 보이는가 하면 자꾸 다리를 꼬았다가 풀었다가 하며 산만하게 행동했다. 그러더니 별안간 모르쇠로 일관하며 집에 보내 달라 투덜대기 시작했다.

"내가 마약을 안 했는데 왜 이런 반응이 나오는 거죠? 빨리 집에 보내주세요. 집에 가고 싶다니까요!"

어린아이처럼 칭얼칭얼 똑같은 말을 반복하던 그녀도 차츰 지쳐갔다. 더디기만 했던 인터뷰를 마쳤다. 정황상 그녀가 마약을 투약한 것은 확실해 보였고, 우리가 마지막으로 해야 할 일은 그녀가 몸에 소지한 마약을 찾아내는 것이었다. 바로 그녀의 몸을 수색하는 일. 그건 내 몫이 될 수밖에 없었다.

나는 그녀의 검사를 처음 시작한 담당자였고, 여자였기 때문이었다. 사실 정말이지 그 일은 어렵다. 둘만이 남은 조용한 공간에서 손으로 타인의 몸을 샅샅이 만져야 한다. 불편한 마음을 꾹 참고 수색을 했으나 실패였다. 나는 그녀의 몸수색에서 마약을 찾아내지 못했다. 이제 다음 단계로 가야 했다. 알몸수색. 몸속 은밀한 구석에 숨겨왔을지도 모르는 마약을 끝끝내 찾아내기 위해 나는 그녀에게 속옷까지 탈의해 달라 요청했다. 세관에서 근무하며 알몸 수색까지 하게 된 건 그날이 처음이었다. 그냥 업무일 뿐이야……. 마음속에서 여러 번 되뇌었지만 부담감이 끝도 없이 밀려왔다. 내 마음을 알아챈 김 선배가 노련하게 그녀를 달래기 시작했다.

"지금 안 꺼내면 병원 가서 엑스레이를 찍어야 해요. 그렇게 적발되면 본인한테도 상당히 불리해진단 걸 아셔야 해요."

"마약…… 없다니까요."

하지만 그녀의 말투엔 자신감이 없었다. 흔들리는 모양이었다.

"그 마약, 몸 안에서 터지면 얼마나 위험한 줄 아세요? 치사량 넘겨서 죽을 수도 있어요. 우리 더 시간 끌지 말고 얼른 꺼내요, 네?"

죽을 수도 있다는 말에 겁을 먹은 것인지, 그녀는 잠시 입을 다물었다. 한참이 지나서야 그녀가 말했다.

"신변검사실로…… 다시 가요."

결심이 선 모양이었다.

그곳에서 그녀는 갑자기 푹 쭈그려 앉더니 미간을 잔뜩 찌푸린 채 몸을 꿈지럭거렸다. 몇 분 후 내 앞에 무언가를 쓱 내밀었다. 콘돔으로 잘 싸인 마약이었다.

"저, 이제 집에 가도 돼요?"

기가 막혔다. 마약을 내놓았으니 이제 집에 가도 되느냐는 해맑은 눈빛 앞에서 나는 말을 잃고 말았다. 이 어린 여행자는 어쩌다 마약에 빠진 것일까? 막냇동생처럼 초롱초롱, 순진한 얼굴로 집에 보내 달라는 철없는 스무살. 앞으로 어딜 가든 마약범죄자라는 꼬리표가 따라붙을 텐데, 안쓰러워 어쩌나. 하지만 죗값을 치러야 하는 법. 나는 그녀를 둔 채 신변검사실을 나왔다.

"나왔어?"

검사실 앞에서 결과를 기다리던 직원들이 나를 둘러쌌다.

나는 대답 대신 휴지로 감싼 콘돔을 보여주었다. 하도 지쳐 무어라 말할 기운도 남아있지 않았다. 장장 세 시간이 걸린 일이었다. 오늘따라 한산하단 말은 왜 해서 이 고생인지. 금기어가 괜히 금기어가 아니었다.

"배고파서 어떡해. 구내식당은 문 닫아서 일단 편의점에서 이것저것 사왔어. 얼른 먹어."

김 선배는 묵직한 편의점 봉지를 내밀었다.

"선배⋯⋯ 저, 앞으론 정말 말조심할 거예요. 한산하단 말 따위 절대 안 할 거예요."

김 선배가 풋, 웃음을 터뜨렸다.

휴양지에서 온 오리발

2019년, 추운 겨울 새벽이었지만 따뜻한 나라에서 온 비행기에서 내린 승객들의 얼굴은 하나같이 햇볕에 빨갛게 익은 모습이었다. 부럽다. 뜨겁게 내리쬐는 태양 아래 선베드에 누워 며칠만 쉬다 왔으면. 그곳의 분위기를 상상하느라 잠깐 몽롱해졌지만 곧 정신을 차리고 한 장, 두 장 승객들의 세관신고서를 받았다.

그러던 중 배낭 하나 단출하게 메고 다가온 승객이 다가왔다. 요즘이야 혼자 여행하는 사람이 워낙 많아 신기할 일은 아니지만 내 눈길을 끌어당긴 건 좀 전 캐러셀 주변에서 서 있던 그 승객을 본 기억 때문이었다.

기탁 수하물이 없네? 그런데 아까 왜 캐러셀 주변을 맴돌았지?

승객의 신고서에는 별다른 것이 없었다. 나는 그에게 말했다.

"선생님, 저기 있는 엑스레이 검사대에 짐 한 번만 통과해주시겠어요?"

승객은 별말 없이 태연하게 고개를 끄덕이며 엑스레이 검사대 쪽으로 향했다. 나는 검사대 직원에게 작은 소리로 속삭였다.

"마약검사 부탁해요."

다시 자리에 앉아 다른 여행객들의 신고서를 받고 있었지만 내 모든 신경은 뒤쪽 검사대를 향해 있었다.

"아무 이상 없던데요?"

검사대 직원이 전해주었다. 아, 아니었구나. 공연히 의심했네. 나는 혼자 픕 웃었다. 마약을 적발하게 되면 저녁 뉴스 인터뷰를 어떻게 할까, 생각도 해두었는데. 어쨌거나 별일 없다니 다행이지. 앞길이 창창할 저 승객에게 도 잘된 일이고.

교대 시간이 되어 자리에서 나와 검사대 쪽을 지나가는데, 뜻밖에도 아직 검사가 진행 중이었다.

"무슨 일이에요? 문제없다더니?"

"엑스레이상으론 문제가 없어요. 가방 안 물품들도 마약 반응 없고요. 그런데 여권이랑 휴대전화에서 메스암페타민이 80% 이상 양성으로 나오네요."

80% 이상이라면 매우 강한 양성반응이었다. 물론 단순한 기계 오류일 수도 있는 일이었다. 하지만 검사가 길어지자 승

객의 표정은 점점 초조해졌고, 과장된 몸짓 또한 눈에 띄었다. 그 점이 수상해 검사는 더욱 정밀해지고 있었다. 마약 반응 테스트를 여러 번 했지만 결과는 역시 양성이었다.

남은 건 본격적인 세부 검사였다. 신변검색대로 인도한 후 나도 얇은 라텍스 장갑을 꼈다. 준비를 끝낸 후 승객을 찬찬히 바라보았다. 반소매 티셔츠에 반바지 차림. 몸에 숨기기는 쉽지 않았을 텐데. 나는 팔과 다리, 배 등 이곳저곳을 살살 만져보았다. 아무것도 없었다. 별수 없었다. 눈을 질끈 감고 나는 사타구니 깊은 곳을 가볍게 손으로 만져보았다. 뭔가 볼록한 것이 만져졌다.

이거구나!

신변검색 동의서를 작성한 뒤 양해를 구하고 바지를 내려달라 요청했다. 피차 불편한 일이라고 해도 어쩔 수 없었다. 역시나 반바지 안에 딱 붙는 하의가 한 장 더 있었다. 그리고 그 안에는 수상한 봉지가 테이프에 친친 감겨 붙어 있었다. 숨바꼭질의 끝이 보이는 순간이었다.

마약은 모두 다섯 봉지였다. 정밀저울로 재보니 1.2kg. 통상 밀수되는 마약이 고작 몇 그램 단위인 것에 비해 엄청난 양이었다.

“아니, 이걸 허벅지 안쪽에 붙이고 왔다고? 무거웠을 텐데?”

“허벅지에 붙여보고 자연스럽게 걷는 연습도 했을걸?”

눈도 잘 안 떠지는 새벽 시간, 결국 마약을 적발해낸 우리는 울상이 된 승객을 마약조사과로 인계했다. 엑스레이 검사대에 짐을 올려놓기 전까지 그는 자신에게 어떤 일이 일어날지 몰랐겠지. 설마 바지까지 내리라고 할 줄 알았을까?

캐러셀 주변을 맴도는 모습을 떠올리지 못했다면 마약을 찾아내지 못했을지도 몰랐다. 새벽까지 끈질기게 조사해준 동료들에게도, 나 자신의 눈썰미에도 감탄한 시간이었다.

"뉴스 인터뷰 들어오면 뭐라고 하지?"

내 농담에 동료들도 한마디씩 했다.

"인터뷰 때 입을 옷이나 잘 골라놔!"

하지만 그런 일은 일어나지 않았다.

나중에 마약조사과에서 전화를 걸어왔는데, 검찰 진술에서 그 승객은 마약을 소지하지 않았다고 오리발을 내밀었다는 것이었다. 우리로서는 기가 막힐 노릇이었다. 그럼 그날 새벽, 우리가 뭘 했다는 거지? 재판은 마냥 길어지고 있는 모양이었다.

우리는 마약 적발 확인서를 작성하고 서명해 검찰에 제출했다. 아직 결과는 알지 못한다. 언제가 되었든 처벌받을 일은 처벌받고, 새 삶을 살 수 있기를. 그래야 깔끔하지 않은가 말이다.

Episode 01

Episode 02

Episode 03

Episode 04

Episode 05

Episode 06

Episode 07

Episode 08

Episode 09

Episode 10

명품만 알고
세금은 모르는 사람들

...

호구의 연애

뭔가 있는데

마스크를 벗으시니 다른 분이 되셨군요!

순간의 선택이 지갑을 좌우한다

호구의 연애

"여자친구 분 이름이 어떻게 되죠?"

내가 물었지만 남자는 대답이 없었다. 그래, 이상한 질문이다. 세관공무원이 여행객에게 할 질문은 아니다. 그런데도 나는 내 눈앞에 서 있는 사람에게 꼭 물어봐야 했다.

"다시 묻겠습니다. 여자친구 분 이름이 뭐죠?"

"K……입니다."

모기만 한 소리로 남자가 대답했다. 나는 어이가 없어서 실소했다. 뭐라는 거야, 이 남자? K는 내 이름이었다. 나는 이 상황이 기가 막혀 한동안 말을 이을 수가 없었다.

공연히 기분 좋은 날이 있다. 출근길, 버스와 지하철이 도착하는 타이밍이 딱딱 맞아떨어졌고, 커피를 사러 들른 단골 카페도 사람이 없어 기다릴 필요가 없었다. 나 오늘 로또 각? 혼자 그런 생각을 하며 출근을 한 참이었다. 이런 일이 기다리고 있을 줄은 꿈에도 몰랐다.

"자진신고 하러 왔어요."

세관검사대에 앉아 일하고 있는데 옆 동료 자리 쪽에서 또랑또랑한 여자의 목소리가 들려왔다. 남자와 함께였다. 누가 보아도 커플로 보이는 모습이었다. 젊은 커플이 자진신고를 하러 왔군. 잘 생각했네. 그래야지. 도로 고개를 돌리려 했는데, 나는 그만 남자의 얼굴을 보고 말았다. 그리고 굳어버렸다.

그였다. 못 알아볼 수 없는 얼굴. 아마 평생 잊지 못할 얼굴. 남자친구였다. 아니, 남자친구는 아니지. 우리는 불과 한 달 전 헤어지기로 했으니까.

한 달. 아직 온기도 식지 않은 이별의 시간. 찜기 안에서 막 꺼낸 호빵을 반으로 갈라도 따끈한 기운은 쉬이 식지 않는데 사람이라면 더더욱 그럴 것을. 그런데 그사이, 그는 내가 알지 못하는 여자와 해외여행을 다녀온 것이었다.

그도 나를 바라보았다. 그의 눈빛이 빠르게 흔들렸다. 당황한 기색이 역력했다.

"우리가 결혼하면, 자기는 공무원 마누라 앞세워 보증 설 사람이야. 안 그래?"

그는 별명이 호구였다. 오지랖이 넓어 곤경에 처한 사람을 절대 지나치지 못하는 호구. 나는 그래서 그런 농담을 종종 했다.

헤어지고 바로 다른 사람을 만날 수도 있지……. 아무렇지 않은 척하려 했지만 우리가 만난 시간은 무려 4년이었다. 그와 헤어진 후 나는 아직도 주말이면 혼술을 하며 눈물을 뚝뚝 흘리기도 하는데. 그런데 그는…….

나는 이 영화 같은 장면 속에서 관객으로만 남고 싶지 않았다. 주먹을 꽉 쥐고, 그가 서 있는 장면 속으로 들어가기로 했다.

"두 분, 동행이신가요?"

"네, 맞아요."

그를 향해 물었지만 대답한 건 여자였다.

여자는 나를 보고 활짝 웃으며 또박또박 대답했다. 버스를 너무 빨리 갈아탄 거 아니야? 묻고 싶었지만 직장에서 그런 불륜 드라마를 찍을 생각은 없었다. 입국장에서 근무하다 보면 지인과 마주칠 일이 있을 거라 생각하긴 했지만 그게 전 남자친구일 줄이야. 게다가 이런 상황으로.

"자진신고를 하실 경우엔 관세의 30%를 감면받을 수 있기 때문에 각자 이름으로 나눠서 과세하는 게 유리해요. 따로 해드릴게요. 남성분은 이쪽으로 오시겠어요?"

그는 안절부절못하며 내 자리로 따라왔다. 일부러 그를 끌고 오긴 했지만 무슨 말을 해야 할지 머릿속이 엉망진창이었다. 다행히도 내 자리 주변은 비어 있었다.

"어디 여행 다녀오시는 길인가 봐요?"

나는 존댓말을 썼다.

"그, 그게 아니라 이게 어떻게 된 거냐면…… 그게 말이야……."

변명을 들으려던 건 아니었다. 그리고 애초 변명을 할 사이도 아니었다. 이미 끝났으니까. 사적인 감정 따위 배제한 깔끔한 모습을 보여주고 싶었다.

"구매하신 물건이 뭐죠?"

내 물음에 그는 대답하지 못했다.

"뭘 구매하셨냐고요?"

"나는…… 나는 몰라요."

뭐 하자는 거지? 나는 여자에게 다가가 펜과 세관신고서를 내밀었다.

"남자분이 아무것도 모르시네요. 어떤 물건을 구매하셨고, 두 분이 어떻게 나누실 건지 작성해주세요."

"네……."

조금 전까지만 해도 활기가 넘쳤던 여자의 목소리가 갑자기 낮아졌다. 분명 불안해 보였다. 이상하다는 느낌이 언뜻 들었다. 그녀가 세관신고서를 내밀었다.

"나머지는 그 사람이 작성할 거예요."

구매한 물품만 쓰고 인적사항은 비워둔 채였다. 대신 작성해줄 만도 한데? 나는 신고서를 그에게 내밀었다.

"자, 여기 나머지 작성해주세요."

신고서를 받아 든 채 가만히 서 있는 그의 모습이 어딘가 어색했다. 나와 맞닥뜨려 당황한 것만은 아닌 것 같았다. 나는 그를 잘 아는 사람이었다. 그의 표정은 단순해 보이지 않았다. 어떤 직감이 나를 에워쌌다.

"여자친구 분 이름이 어떻게 되죠?"

그는 대답하지 못하다가 결국 우물쭈물 내 이름을 댄 것이었다.

"이 호구……."

정말이지 기가 막혔다. 호구도 이런 호구가 있나.

"너, 진짜 미쳤니? 어쩌자고 이런 짓을 해?"

"미안해. 정말로……."

더 말하지 않아도 무슨 일인지 알 수 있었다. 여자친구 이름을 대라는 말에 내 이름을 대고 만 건, 그 여자의 이름을 정말 모르기 때문이었다. 방금 입국장에서 만난 남녀가 서로의 인적사항을 알고 있을 리가!

"선생님, 모르는 사람이 부탁한다고 해서 동행인 척해주면 안 됩니다."

"네, 정말 죄송합니다……."

여행객은 1인당 미화 600달러 면세를 받을 수 있었다. 이를 추가로 받기 위해 여자는 모르는 사람에게 동행인 척 해달라 부탁을 했던 것이었다. 그렇다고 덥석 해주는 이 남자는 도대체 어떤 호구란 말인가. 정말 놀랍기 그지없었다.

팀장님은 그에게 단호하게 주의를 주었다.

"다행히 이번엔 명품 물건이었지만, 만약 이 안에 마약이라도 들었더라면 어쩔 뻔했어요? 마약은 대리 운반은 물론 소지만 해도 검찰로 넘어갑니다. 마약류관리에 관한 법률에 의거 마약사범으로 처벌을 받아요. 그러니까 다음번에 혹시라도 누군가가 대신 물건을 들어달라고 하면 절대 그러면 안 됩니다."

"죄송합니다……."

그는 연신 죄송하다며 고개를 숙였다.

실컷 혼이 난 채 풀 죽어 입국장을 빠져나가는 그에게 슬그머니 다가가 어깨를 두드려주었다. 퇴근 후, 그가 연락을 해왔다.

"너랑 헤어지고 나서 힘들었어. 그래서 혼자 여행이라도 다녀올까 한 건데……."

"그래서?"

"너 제복 입고 똑 부러지게 일하는 거 보고 다시 반했어."

"뭐라는 거야?"

"정말이야. 반했어. 나 호구인 거 알아. 그런데 너처럼 똑똑한 사람이 옆에 있어 주면 나도 달라질 것 같아. 우리…… 다시 만나면 안 될까?”

이 이야기의 끝은 해피엔딩이다. 내가 작은 목소리로 “예스”라고 대답했으니까.

뭔가 있는데

유럽에서 온 여행객들은 고가의 물품을 사오는 경우가 많아 세관에서 자주 검사를 한다.

그날도 프랑스 파리에서 온 승객들을 전부 검사하고 있었다. 한 남성 여행객에게서 금속 반응이 계속 일어났다. 하지만 반응을 일으키는 금속 물질을 찾지 못해 수차례 문형탐지기* 를 통과시켰고 신변수색을 했다.

"금속 물질이 몸에 있나요?"

"없는데요."

"혹시 작은 금속이라도 없나요?"

"……."

* 문형탐지기: 공항 등에서 금속 탐지를 위해 통과하는 검색대.

"지금 계속 선생님 신변에서 금속 반응이 나와서요."

"……."

소득 없이 동일한 검사를 반복하다 보면 일반적으로 여행객은 짜증을 내기 마련이었다. 혹은 가볍거나 거칠게 세관직원에게 불만을 표시하기도 한다. 그런데 이 남성 여행객은 오히려 불안한 표정으로 안절부절못하고 있었다. 뭔가 있긴 있는 모양이었다. 신변이 아닌가? 다른 짐에 밀수품이 있는 게 아닐까?

"선생님, 세관에 신고할 물품 있나요?"

우물쭈물하던 남성이 대답했다.

"아내가 파리에서 반지를 하나 샀는데, 여행 도중에 분실했습니다. 지금 없으면 신고 안 해도 되는 거죠?"

지금 반지를 가지고 있다는 얘기로군. 구입한 물품을 해외에서 분실했다고 답변하는 경우, 대부분 짐 속에 은닉하거나 대리인을 통해 밀반입하는 경우가 많았다.

"부인은 어디 계세요?"

남성은 아내에게 손짓했고, 세관검사를 마치고 기다리고 있던 아내가 당황한 표정으로 천천히 걸어왔다.

"파리에서 반지 구입하셨어요?"

여성은 남편을 한 번 쳐다본 후 찬찬히 대답했다.

"까르띠에 반지를 샀는데…… 도둑맞았어요."

"도둑맞으셨다고요?"

“네, 파리 시내에서 설문조사를 한 적이 있는데 그때 소매치기가 가방에서 빼간 것 같아요.”

“현지 경찰이나 보험사에 분실신고는 하셨나요?”

“아뇨, 못했습니다.”

“지금 선생님이나 남편 분은 그 반지를 가지고 있지 않다는 말씀이시죠?”

“네.”

“두 분 짐과 신변을 한 번만 더 검사하겠습니다.”

부부의 짐뿐 아니라 신발에 대한 정밀 엑스레이 검사를 하고, 신변에 대한 촉수 및 금속탐지 검사를 여러 차례 더 했지만 반지는 나오지 않았다. 하지만 남성 신변에서는 계속 금속 반응이 나왔고 우리는 점점 지쳐갔다.

“마지막으로 양말 속 확인해봐.”

옆에서 다른 검사를 하던 동료가 내게 귓속말을 했다. 아, 반지를 넣고 양말을 신었을 수도 있겠구나! 급하게 핸디형 금속탐지기를 남성의 발에 갖다 대니 강한 금속 반응이 나왔다. 이제야 찾았다!

“죄송한데, 금속 반응이 나와서 그러는데, 양말 좀 벗어주시겠어요?”

남성이 머쓱한 목소리로 말했다.

“저기…… 다른 데서 벗으면 안 될까요?”

"이쪽으로 오세요."

세관 사무실로 데려가 양말을 벗게 했다. 양발, 두 번째 발가락에 반지 하나씩이 끼워져 있었다. 멀리서 봐도 까르띠에 반지라는 것을 알 수 있었다.

"파리에서 구입한 까르띠에 반지 맞나요?"

"네……. 죄송합니다."

옆에 있던 아내는 남편의 발가락을 쳐다보다가 차마 웃지도 못하겠다는 묘한 얼굴로 고개를 돌렸다. 결국 부부는 조사를 받게 되었다. 즐겁게 끝냈어야 할 신혼여행을 제대로 마무리하지도 못하고.

마스크를 벗으니 다른 분이 되셨군요!

이번 동남아 가족여행 때에는 꼭 두리안에 도전하겠다고 생각했지만 코로나19로 모두 물거품이 되었다. 두리안은커녕 매일 귀 뒤를 발갛게 붓게 만드는 마스크 때문에 넌더리가 날 지경이다. 잠잘 때 빼고는 한시도 나를 놓아주지 않는 마스크. 이제 마스크 브랜드 품평 정도는 막힘없이 할 수 있는 파워컨슈머가 되었다.

웬 마스크 타령이냐고?

짐 캐리가 주연을 맡은 〈마스크〉라는 영화가 있다. 슈퍼파워를 내뿜다 긴 턱에서 마스크가 벗겨지는 순간 이내 착한 아저씨로 돌변하는 짐 캐리. 바로 그 장면이 떠올라서다. 지난여름 입국장에서 만난 한 여성도 마스크가 벗겨진 그 짐 캐리처럼 순식간에 변해 나를 화들짝 놀라게 했다.

2019년 여름, 자정이 다 되어가는 시각이었다.

요즘 여행객들은 법을 잘 지킨다. 면세 한도를 초과하면 알아서 자진신고를 하고, 세관신고서도 꼼꼼하게 잘 작성한다. 그런 것만 보면 우리는 이미 선진국이라 자부해도 될 법하다. 물론 사람 사는 세상이다 보니 예외는 있다. 어떻게든 세금을 내지 않으려고 아등바등하는 사람들이 왜 없을까.

그 여성은 출국 전 면세점에서 명품 핸드백을 샀다.

우리나라처럼 전산화가 빠르고 정보공유가 잘되는 나라도 없다. 과세자료는 말할 것도 없다. 면세점 구매액이 큰 여행자는 입국 시 해당 면세품을 반입하는 것이 아닌지 확인을 하기 위해 세관검사를 거쳐야 한다. 대부분 여행객은 자발적으로 신고하고 감면을 받기 때문에 세관직원도 업무가 수월하지만, 그녀는 자진신고를 하지 않았기에 세관검사대에서 인터뷰가 시작되었다.

여기서 잠깐.

귀국 시 다시 세금을 매길 거면 출국할 때 국내 면세점에서 면세품을 뭐 하러 팔았냐는 질문을 하는 분들이 꽤 있다. 세관이 판 건 아니지만 이런 넋두리를 들어줄 이는 우리밖에 없으니 대신 설명해 드리겠다.

'소비지국 과세'라는 것이 있다. 물품이 소비되는 나라에서 세금을 부과한다는 원칙이다. 해외로 나갈 때 사는 물건은 거기서 쓸 것으로 판단하기에 우리나라에서 세금을 쏙 뺀 가격으로 판매하는 것이다. 그런데 이걸 다시 국내로 반입한다면 국내에서 사용할 물건이 되는 셈이니 다른 일반 수입품과 똑같이 세금을 매겨야만 한다.

나는 여성에게 질문했다.

"신고할 물건이 있나요?"

"없는데요."

나는 다시 물었다.

"면세점에서 가방을 구입하신 걸로 나오는데, 혹시 지금 갖고 계시나요?"

그녀는 망설이지도 않고 대답했다.

"사긴 샀어요. 근데 해외에 있는 지인한테 선물했어요."

고마운 분께 선물을 드리고 감사의 마음을 나누는 것, 좋은 일이다. 다만 나는 확인해야 하는 의무를 진 사람, 세관공무원이다. 세관검사대에서 멀찍이 떨어져 있던 동행자 여성에게 다가가 세관검사 협조를 구했다.

"가방을 엑스레이 검사대에 올려놔 주시겠어요?"

30년 경력의 우리 팀 고수의 눈앞에 명품 가방 로고가 나타났다. 이거군! 이제 동행자와 인터뷰 시작이다.

"이 가방 언제, 어디서 사셨나요? 비닐 포장도 그대로인 신품이네요."

"그건 왜 물으시죠?"

"저기 세관검사대 앞에 있는 분이 일행이시죠? 세관검사구역 앞까지 계속 얘기를 나누며 걸어오시던데요?"

"가방은 한참 전에 서울에 있는 백화점에서 산 거예요. 영수증은 없죠, 오래됐는데."

"구매한 백화점과 대략적인 날짜만 알려주세요. 저희가 확인하겠습니다."

동행자는 대답이 없었다. 눈빛은 불안했고, 꾹 다문 입술에 힘이 들어갔다. 이쯤 되면 다 나온 그림이다. 세관검사대의 여성이 가방의 주인일 테고, 이제 물건 시인 받고 고지서만 주면 되겠네. 나는 검사대 앞의 여성에게 돌아갔다.

"저분과 일행이시죠? 가방 관련해서 사실대로 말씀해 주세요. 나중에 답변내용과 다른 사실이 확인되면 처벌될 수 있습니다."

"모르는 사람이에요. 비행기 내려서 만난 사람이라고요. 짐 찾을 때 도와줘서 그냥 얘기 몇 마디 한 건데. 가방은 지인 주고 왔다니까 똑같은 말을 왜 자꾸 해요?"

거짓말도 거침없다. 하지만 세관에서 일하다 보면 별의별 사람들이 다 있다. 자녀에게 고가품을 맡긴 뒤 현지에서 잃어버렸다고 하는 사람도 있다. 그래 봐야 동행자 검사에서 대리반입이 확인되어 낭패를 보게 되지만.

늦게라도 시인하고 세금을 낸 뒤 귀가하면 다행인데, 끝까지 잡아떼다가 밀수입죄 처벌까지 받게 되는 상황이 종종 벌어지기도 한다.

"빨리 인정하시고 세금 낸 다음 귀가하셔야죠."

설득하려 했지만 여성은 극구 부인하며 짐을 만지지 말라고 소리를 질렀다. 여성도 나도 진이 빠지기 시작했다. 같은 말만 20분째 반복하는 중이었다. 집에 가는 차도 곧 끊길 텐데. 더는 상황을 개선할 여지가 없다고 보아, 범칙조사가 시작된다는 것을 알렸다. 사무실로 안내해 앞으로 진행될 처분에 관해 설명했다.

여성은 전화를 걸어야겠다며 자리를 비켜 달라 했다. 약 30분간 긴 통화 끝에 세관직원에게 전화를 넘겼다. 아마도 세관 업무를 잘 아는 지인인가 보았다. 세관직원은 밀수입죄로 통고처분*을 할 것이고, 벌금 상당액과 함께 가방은 범칙 물품으로 몰수될 것이라 알려주었다. 전화를 다시 돌려받은 여성이 설명을 전해 듣더니 대성통곡하기 시작했다.

살면서 이토록 가까운 거리에서 성인 여성의 눈물을 겪은 건 처음이었다. 감당이 안 될 정도였다.

* 통고처분: 자진신고를 하지 않아 세관에 적발되었을 경우 해당 물품은 압수되며 벌금도 부과되는 세관의 처분.

"잘못했어요. 세금 낼게요. 가방은 돌려주세요. 한번만 눈감아주면 다시 이런 일 안 할게요!"

이미 수 시간 동안 질문을 반복했고, 여성은 계속 부인했다. 이제 원칙을 알리고 법을 집행하는 수밖에 없었다.

"여기 세관검사장은 업무 장면이 녹화되고 있어요. 여행자 정보와 명품백 등 종합적으로 판단할 때 선생님은 동행인을 이용해 고가의 과세대상 물품을 밀수하신 것이 확인됩니다."

세관직원의 단호한 상황설명에 울음소리는 더 커졌고 만일의 상황에 대비해 여성 직원이 현장에 합류했다. 드문 일이지만 감정이 격해져 자해하는 여행객도 있기 때문이었다. 우리는 울음을 그치지 않는 여성에게 두루마리 화장지와 냉수를 부지런히 날라주었다.

오늘 밤도 이렇게 홀랑 새는구나. 새벽 2시가 가까운 시각이었다. 갑자기 그녀의 울음이 거짓말처럼 멈추었다. 정적이 찾아온 사무실이 놀라웠다. 혹시 실신이라도 한 건가? 놀란 마음에 뒤를 돌아보았다. 밖에서 대기하던 여자 직원도 사무실로 뛰어 들어왔다.

"자리 좀 비켜주세요. 전화할 데가 있어요."

전혀 다른 사람이 된 듯한 여성의 목소리였다. 헛것을 들은 것 같은 비현실감을 느끼며 우리는 얼결에 자리를 비켜주었다.

"아, 네. 그러시죠."

5분간의 통화 후, 그녀는 화장을 말끔히 고친 얼굴로 우리에게 말했다.

"통고서 주세요. 저기, 은행 부스에서 내면 되는 거죠?"

우리는 그 5분 사이에 무슨 일이 벌어진 것인지 결국 알아내지 못했다. 누군가의 코치를 받은 것인지도 모르겠다. 그녀는 마치 마스크를 벗고 다른 사람이 된 것처럼 말짱한 얼굴로 사무실을 나갔을 뿐이었다. 우리는 무언가에 홀린 사람처럼 그녀의 뒷모습을 바라보았다.

순간의 선택이 지갑을 좌우한다

다른 세관에서 일할 때보다 공항에서 일할 때 확실히 더 다양한 사람들을 만나게 된다. 갓 태어난 작은 아기부터 지팡이를 짚은 노인까지, 나이도 국적도 다른 사람들이 북적이는 공항. 온종일 앉아 사람 구경만 해도 재미있는 곳이다.

작고 마른 체형인 나는 덩치 크고 목소리도 큰 우락부락한 남자 여행객을 만나면 나도 모르게 긴장을 했다. 행여 나를 만만하게 볼까 걱정이 되었던 거다. 그래서 일할 때는 일부러 빨갛고 진한 립스틱을 발라 나름대로 독한 인상을 만들기도 했다.

공항으로 발령받은 지 얼마 되지 않았을 때다. 아직 업무에 익숙하지 않아 제발 협조적인 여행객만 만났으면 좋겠다고 생각하며 출근한 날이었다. 비행기에서 막 내린 50대 자매 두 명이 동료의 안내를 받아 검사대로 왔다. 자매 중 동생의 면세점

고액 구매내역을 확인하고 가방 검사를 시작했다.

"안녕하세요. 신고할 물품 있으세요?"

"없어요. 확인해 보세요."

귀찮다는 목소리였다. 면세점에서 명품 시계 2개를 산 사실이 확인되는데, 물건이 없었다. 옆에 선 언니도 퉁명스럽게 거들었다.

"없다니까요! 찾아보세요!"

시계는 분명 어딘가에 있을 것이다. 나는 말없이 가방을 구석구석 살폈다. 발견된 것은 빈 가죽 케이스뿐이었다. 케이스가 있다는 건 시계도 틀림없이 있다는 것. 더군다나 구매내역도 있고.

"우리는 외국 살아요. 시계는 집에다 두고 왔어요."

"그럼 케이스는 왜 가져오셨어요?"

"케이스가 한국에서 필요해서요."

정황상 말도 안 된다. 하지만 물증이 없으니 어떡해야 하지?

"선생님, 손목 좀 보여주실래요?"

"그러세요."

동생이 당당하게 소매를 올렸다. 얼마든지 확인하라는 듯 살짝 미소까지 띠었다. 시계는 없었고, 나는 조금 당황했다. 물건을 가져왔을 가능성이 매우 높은데, 이대로 검사를 끝낸다면 세관직원을 얼마나 우습게 볼까? 세관검사 별거 아니라며 밖에 나가서 무용담을 떠들 것만 같았다.

휴대품 통관 초짜인 나는 민원응대에 아직 서툴렀다. 자매와의 기 싸움에도 이미 밀렸지만 그래도 명색이 세관직원인데 그냥 넘어가고 싶지는 않았다.

어떡하지? 어떡해야 하지? 빠른 판단을 해야 했다. 일단 문형탐지기를 통과시켜야겠다고 생각하고 동료에게 도움을 요청했다. 한 사람씩 문형탐지기를 통과시키고 금속탐지기를 들고 몸을 수색했다. 그런데 동생의 팔에서 삐이, 소리가 울렸다. 아까 손목에는 시계가 없었는데? 한 번 더 금속탐지기를 댔고, 역시 같은 위치에서 소리가 울렸다.

"선생님, 옷 좀 올려주세요."

동생은 겸연쩍은 표정으로 소매를 걷어 올렸다. 시계는 팔뚝에 채워져 있었다. 그래서 아까 손목을 확인했을 때 보이지 않았구나. 상황은 이제 역전되었다.

"이거 시계 아닌가요?"

멋쩍은 얼굴로 그녀가 대답했다.

"시계는 무슨…… 팔찌예요, 팔찌."

사태의 심각성을 모른 채 농담으로 넘어가려는 모양이었다. 세관에서 걸리면 아무렇지도 않게 그냥 '세금 낼게요.'라고 하면 간단히 끝날 거라 생각한 모양이었다.

"아, 네에. 팔찌. 그래도 신고하셔야죠, 팔찌라도."

이어 언니의 팔뚝에서도 시계가 발견되었다. 나는 팀장님께 보고 드린 후 사무실로 들어가 서류를 꾸미고 조사처분 준비를 했다. 그제야 사태의 심각성을 느꼈는지 두 분은 떨리는 목소리로 말했다.

"부모님 생신이에요. 그래서 선물을 사 왔는데, 사람들이 이렇게 하면 된다고 알려줘서…… 그래서 그랬어요. 한 번만 봐주세요."

언니는 몸수색을 한 직원에게 다가가 애원하고, 동생은 내게 다가와 졸라댔다.

"언니, 한 번만 봐줘요. 아까 언니가 물어봤을 때 대답 잘했어야 했는데, 진짜 미안해요. 한 번만 봐줘요, 네?"

"저는 그럴 권한이 없습니다."

"언니, 다음엔 신고 잘할게요. 팀장님께 한 번만 더 말씀드려줘요."

안 될 일이라는 것을 알면서도 자매가 딱하기도 해 팀장님께 전달했지만 팀장님은 단호했다.

"고의로 신고하지 않은 게 명백하잖아요. 결정이 달라질 건 없어요."

나는 팀장님의 말을 그대로 전했다.

"죄송합니다. 이미 결정이 된 상황입니다."

동생이 끝내 바닥에 무릎을 꿇고 울음을 터뜨렸다.

"언니, 한 번만 봐줘요. 친구들이 그래도 된다고 해서…… 우리는 신고할 생각이었는데, 정말 미안해요."

"언니 다음엔 신고 잘할게요. 한 번만 봐줘요."

갑작스러운 상황에 나는 몹시 당황했다. 모르는 사람들이 이 광경을 어떻게 볼 것인가. 나는 흰 바지를 입은 채 맨바닥에 무릎을 꿇은 그녀를 일으키며 진정시켰다. 결국 자매는 조사부서로 인계되었다. 한순간의 판단 실수로 부모님 생신도 결국 망치게 된 그녀들의 뒷모습을 보니 안타까웠다.

돈을 사랑하는 것이 일만 악의 뿌리가 된다고들 했다. 누구나 당장의 이익 앞에 흔들릴 수밖에 없는 연약한 존재이기에 이런 달콤한 유혹에 빠지게 되는 것이겠지. 나 또한 그런 잘못을 충분히 저지를 수도 있기에 그녀들만 탓할 수는 없지만, 이 실수의 과정을 통해 자신을 되돌아보고 반성하며 또 성장해 나가겠지. 나는 그녀들의 뒷모습을 오래 바라보았다.

Episode 01

Episode 02

Episode 03

Episode 04

Episode 05

Episode 06

Episode 07

Episode 08

Episode 09

Episode 10

흔들리는 동공 속에서
너의 금괴 향이 느껴진 거야

...

가짜 금괴를 어디에 쓸꼬?

진실의 방으로!

기상천외한 보물찾기

금덩이를 사랑한 미녀?

가짜 금괴를 어디에 쓸꼬?

아프리카 어딘가에서 금맥을 발견했다고 사기를 쳐서 여러 사람을 울린 사건을 TV에서 본 적이 있다. 세상에야 별의별 사람들 많으니 그런가 보다 했지만 내 눈으로 그런 이들을 실제 만나게 될 줄은 몰랐다.

작년 5월이었다. 퇴근 시간이 다가와 마음도 어수선해 있는데, 덩치 큰 20대 후반 청년 세 명이 당당한 얼굴로 사무실로 들어왔다. 청년들은 아프리카 우간다에서 금괴 12kg을 가져왔다고 했다. 대다수 사람은 성실하게 자진신고를 하지만 가끔 그렇지 않은 사람들도 있기 마련이다. 절반쯤만 양심적인 사람들도 있어서, 금괴 일부는 신고하고 일부는 숨겨서 들어오기도 하지만 말이다. 금괴는 돈이 되는 데다 무게에 비해 고가이고 숨기기 쉽다는 점에서 악용하는 이들이 많은 품목이다.

“이거, 어떻게 하면 돼요?”

목덜미의 문신이 예사롭지 않아 보이는 청년이 서류를 내밀며 나에게 물었다. 퉁명스러웠다. 청년은 금괴를 밖으로 가지고 나가는 데에만 열중이지, 어떤 절차가 필요한지 무엇을 준비해야 하는지는 도통 모르는 모양이었다. 그리고 통관절차는 아예 안중에도 없었다.

나는 필요 서류와 수입신고, 관세사 대행 등 금괴를 공항 밖으로 가지고 나가기 위한 절차에 대해 차근차근 안내했다.

“아, 뭐가 그렇게 복잡해요?”

짜증과 푸념이 쏟아졌다.

“세금도 중요합니다만, 이런 금괴는 진위 판별도 해야 합니다. 중요한 절차예요.”

내가 가볍게 덧붙이자 한 청년이 대뜸 언성을 높였다.

“내가 직접 비행기 타고 우간다에 가서 돈 주고 사 왔는데 무슨 소릴 하는 거예요? 가짜일 수 있단 거예요, 지금?”

“절차상 확인이 필요하다는 겁니다.”

청년들은 바짝 예민해져 있었다.

“진짜 금인지 아닌지 저희가 비중계를 가져다가 측정해 보일게요. 확인시켜 드리면 될 거 아녜요?”

“다시 오실 때 아프리카에서 금괴를 구입한 경위와 관련 서류를 제출해주세요. 필요에 따라 전문 감정 기관에 의뢰해서

금 함량을 확인해야 할 수도 있어요."

나는 상세히 안내한 뒤 그들을 돌려보냈다.

다음 날 오후에 그들은 내가 요청한 서류와 자신들이 보유한 측정 장비를 사무실에 가져왔다. 그들이 가져온 측정 장비는 내 눈에도 한참 어설퍼보였다. 비싼 금을 측정하는데 이런 장비를 사용한다고?

물건 보관창고에서 가져온 금괴를 그들이 측정하고 있는 모습을 보자니 의심이 더욱 강해졌다. 금괴 모양이나 색상도 여느 금괴와는 달리 몹시 어색했다. 우리는 청년들과 별도로 금괴의 진위를 확인하기 위해 그날 저녁 전문 감정 기관에 의뢰했다. 밤 9시가 조금 넘은 시각에 도착한 감정사는 능숙한 손놀림으로 금을 감정했다.

"가짜예요."

"가짜라고요?"

"금속 무게는 잘 맞췄는데, 그냥 색상만 금처럼 입혀놓은 거예요."

나는 조심스럽게 물었다.

"절단해 보는 게 좋지 않을까요?"

감정사는 고개를 저었다.

"절단할 필요도 없어요. 여기 끝부분만 봐도 알 수 있어요. 나 참, 사기를 치려면 좀 그럴싸하게 만들던가."

다음 날 출근해 보니 청년들은 신고 대리인과 함께 사무실에 먼저 와 있었다.

"감정 결과는 어떻게 나왔어요?"

"가짜예요."

놀라운 건 청년들의 반응이었다. 가짜 금괴를 사느라 4억 원이라는 거금을 날린 사람이라면 응당 억장이 무너지고 화가 머리 꼭대기까지 날 텐데, 그들은 너무나 태연했다. 하다못해 황당하다는 표정도 아니었다. 가짜라는 것을 이미 알고 있는 것이 아니고서야 반응이 이럴 리는 없었다.

청년들은 시골에서 농기계를 다루는 일을 하고 있다고 했다. 갑자기 농기계와는 아무 상관없는 금괴를 아프리카까지 가서 직접 사 왔다는 인터뷰 내용도 찜찜했다. 아무래도 이해가 가지 않았다. 누군가의 제의를 받아 한번에 큰돈을 벌어보려는 생각이었을 수는 있겠다. 이들은 이 가짜 금괴들을 어디에 쓰려고 했던 것일까?

가짜 금괴를 들고 와 공인된 세관 수입신고필증을 받아 공항을 빠져나간다면 선량한 사람들이 피해를 보게 될 것이 빤했다. 이 일을 어떻게 처리해야 하나, 나는 잠시 생각에 빠졌다.

"어떻게 할까요?"

직원의 질문에 나는 대답했다.

"법대로."

당연한 결과였다.

"이걸 어디다 쓰려고 하셨어요?"

나는 청년 중에서 그래도 온순해 보이는 이에게 물었다. 처음에는 이리저리 발뺌하더니 결국 털어놓았다.

"밖으로 가지고 나가서…… 팔려고 했어요."

가짜 금괴 사기나 보이스피싱 사기로 많은 사람이 평생 지울 수 없는 아픈 상처를 겪는다. 전 재산을 날린 뒤 생사의 갈림길에 서기도 한다. '양두구육(羊頭狗肉)'이라는 말이 떠올랐다. 양의 머리를 걸어놓고 개고기를 판다는 뜻으로 희대의 사기꾼을 일컫는 말이다. 청년들의 마음에 이 고사성어가 새겨져야 할 텐데.

진실의 방으로!

매미가 우는 것을 보고서야 여름이 왔다는 사실을 깨달았다. 사계절 쾌적한 공항에서 근무하다 보니 계절이 오고 가는 것을 늦게야 안다. 그러고 보니 하정복으로 갈아입는 날이다. 일 년에 두 번 제복을 교체하는 날이 되어서야 한 계절이 또 지나갔다는 걸 알게 되는 일이 빈번하다.

교대 시간에는 착륙하는 비행편이 많아 시간이 빨리 지나간다. 전 타임 근무자들과 교대하고 정신없이 저녁 근무를 하던 중이었다. 베트남에서 온 여행객들이 입국장으로 쏟아지기 시작했다. 베트남에서 오는 비행편은 살펴볼 것들이 무척 많다. 여행 가서 먹어보니 너무 맛있어서 사 온 열대과일, 유행하는 노니, 저렴하게 산 금제품 등 반입이 금지되었거나 반드시 세관에 신고해야 하는 물품이 많다.

그중에서도 보따리상들은 특히 눈여겨봐야 한다. 그들은 향채를 비롯한 채소를 자신의 몸보다 큰 행낭에 실어 오곤 했다. 대부분 신선한 과일이나 채소, 육가공품 등 검역대상 물품으로 반입이 금지되었거나 까다로운 절차를 거쳐야만 수입할 수 있는 것들이다.

베트남 비행기가 들어오는 그 시간은 뺏으려는 자와 뺏기지 않으려는 자가 첨예하게 대립하는 순간이다. 친구보다 자주 만나 이제는 그 어렵다는 베트남 이름까지 외운 보따리상도 있지만, 그렇다고 해서 쉽게 넘어가 줄 수는 없다. 나는 바짝 긴장한 채 그들을 살폈다.

그런데, 저 사람은 뭐지? 눈에 띄는 옷차림이었다.

내가 아는 베트남은 일 년 내내 여름처럼 덥고, 6월에서 8월은 아무것도 몸에 걸치고 싶지 않을 만큼 뜨겁다. 몇 년 전 6월, 베트남 남부 다낭으로 여행을 갔다가 정말이지 내 몸에 기름을 바르면 곧바로 구워질 것 같은 날씨를 겪고는 기겁했다. 식당에도 에어컨이 없어 내가 쌀국수를 먹고 있는 건지 내 땀을 먹고 있는 건지 알 수 없을 지경이었고, 베트남식 빈대떡인 반쎄오를 먹으면서도 기름 위에서 지져지고 있는 것이 반쎄오인지 나인지 헛갈릴 만큼 더위에 정신이 혼미해지고 말았다.

그런데, 저 사람이 지금 패딩을 입고 있잖아! 에어컨 바람으로 약간 서늘한 공항에서 일하는 우리조차 반소매 제복 차림인데, 베트남 여행객이 패딩이라니. 그 패션이 하도 과감해 나는 눈을 뗄 수 없었다.

"선생님, 이쪽으로 오세요."

거대한 보따리가 없었지만 상황에 맞는 옷차림을 하지 않은 덕분에 그는 나에게 인계되었다. 가까이서 보니 더 수상했다. 그는 땀을 뻘뻘 흘리고 있었다. 아주 더운 나라에서 조금 덜 더운 나라로 여행을 오는 사람이 패딩을 입은 이유가 뭘까?

"가지고 계신 짐들, 전부 엑스레이에 넣어주세요."

그는 고분고분하게 엑스레이에 짐을 통과시켰다. 여전히 패딩을 입은 채였다. 초조한 얼굴이었다.

"선생님, 옷도 벗어서 넣어주세요."

그래도 털부츠는 신지 않았군.

"아아…… 네……."

그는 어눌한 한국말을 하며 패딩을 천천히, 아주 천천히 벗었다. 어찌나 천천히 벗는지 마치 슬로모션 영화를 보는 기분이었다. 패딩을 처음 벗어보는 사람처럼 오른쪽 팔을 천천히 뺀 다음, 잘 빠지지 않는 왼쪽 소매를 당기느라 낑낑거렸다. 더운 나라에 사니 정말 처음 벗어보는 것일 수도 있어서, 나는 재촉할 수가 없었다. 다 벗기까지 5분이 넘게 걸렸다. 겨우 벗어 바구니에 넣고서는 뿌듯해하기까지 했다. 이 사람, 대체 뭐지?

어처구니없었지만 검사가 길어지고 있어 서둘러 엑스레이

를 작동시켰다. 뿌듯해하는 베트남 여행객의 표정과 어울리지 않게, 엑스레이 영상에는 아주 또렷하게 금괴의 형상이 나타났다. 금은 엑스레이에 특히 잘 잡히는 물품이다. 어이가 없었다. 패딩 왼쪽 소매 안에 팔찌 모양으로 둥그렇게 이어붙인 금괴가 0.5kg이나 들어 있었다.

금괴를 숨기려고 패딩까지 구해 입었는데, 예상치 못하게 패딩을 벗게 되었고, 팔찌까지 함께 벗느라 그렇게 낑낑댔던 것이다. 아니, 패딩 속 팔찌가 엑스레이를 무사통과할 거라 생각한 것인가? 이걸 순진하다고 해야 할는지 안타깝다고 해야 할는지.

그는 '진실의 방'으로 안내되었다. 사실관계 확인을 위해 긴 시간 인터뷰를 하거나 조사를 받는 사무실을 우리는 '진실의 방'이라 불렀다. 그는 결국 패딩값에 금값에 벌금까지 물고, 졸지에 값비싼 여행을 하게 되었다.

검사 받고, 고지서 받고 하다 보면 공항을 늦게 빠져나가게 될까 봐, 다들 그냥 나가는데 나만 바보처럼 세금을 내는 걸까 봐 자진신고를 꺼리는 이들이 있다. 그건 정말이지 잘못된 생각이다. '진실의 방'에서 아주 오랜 시간을 보내고는 가장 늦게 공항을 나가게 될 수도 있고, 세금과 더불어 물건을 압수당하고 벌금까지 낼 수 있다. 여행의 완벽한 마무리는 자진신고라는 것을 모두가 기억했으면 좋겠다.

기상천외한 보물찾기

어릴 적 보물찾기 놀이를 좋아했다. 초등학교 시절 소풍날이면 나는 다른 친구들보다 보물을 먼저 찾고 싶어서 수풀을 열심히도 헤치고 다녔다. 내가 상상할 수 있는 최고의 선물을 기대하며 보물을 찾는 기분은 그저 짜릿했다.

그렇게 보물찾기를 좋아했던 나는 무럭무럭 자라 세관공무원이 되었다. 이제는 수풀 대신 인천공항 입국장에서 보물찾기를 한다.

"이제 칭다오발 한 대 남았네. 은닉물품에 유의해서 체크합시다!"

팀장님이 입국장을 둘러보며 말했다.

인터넷으로 빠르게 정보를 공유하는 시대다 보니 은닉 수법은 더욱 다양해지고 있었다. 손가락에 끼울 반지를 발가락에 끼운다던지, 시계를 손목 대신 팔뚝에 찬다든지.

검사대에서 만나는 사람들과의 실랑이는 대충 이러했다.

"물건 안 샀는데요?"

"사긴 샀는데 저한테 없어요."

"내가 산 가방이랑 지금 들고 있는 가방이 비슷한 건 맞는데, 이건 국내 백화점에서 산 건데요?"

특히 보따리상들은 세관직원과의 미팅 경험이 이미 풍부한 터라 사실 검사 난도(難度)가 높다. 물건도 어찌나 기상천외하게 잘 숨기는지 그 어떤 보물찾기보다 짜릿하다. 입국장에서 근무하면서 나는 점점 보물찾기 고수가 되어가고 있다.

오늘은 또 어떤 사람들과 만나게 되려나.

비행기가 착륙한 지 한참이 지났다. 여행객들은 대부분 빠져나갔는데 내가 기다리는 대상자는 아직 나타나지 않는다. 4번 캐러셀에는 이제 짐도 몇 개 남아있지 않았다. 이렇게 늦어지면 혹시 모를 상황을 대비해 찾아가는 서비스를 제공해야 하는데……. 결국 직원의 안내를 받아 그가 나타났다.

그는 21번 캐러셀 근처 화장실 앞에서 빈 카트를 끌며 서성이고 있었다고 했다. 이상한 행동에 세관은 당연히 그를 주시하고 있었고 본인도 낌새를 챈 모양이었다. 하지만 결국 짐을 찾으려면 4번 캐러셀로 와야 했고, 우리는 이곳에서 만날 수밖에 없었다.

입국장 반대편에서부터 빈 카트를 끌고 온 그는 4번 캐러셀에서 외롭게 빙글빙글 돌고 있는 캐리어를 카트에 실어 느릿느릿 세관검사대로 왔다. 그러고는 세관신고서를 내밀었다.

"안녕하세요, 신고할 물품 있나요?"

대부분 사람들은 없다고 대답한다. 그도 마찬가지였다. 이제 검사 난도 상승의 순간이다! 지금부터는 여행객의 표정, 행동을 하나하나 신중히 살펴야 한다. 그가 뱉는 한마디 말에도 이상한 점이 없는지 곱씹어야 한다.

"가져오신 캐리어를 엑스레이 검사대에 올려주세요."

구두 확인 후 절차를 진행했다. 짐은 엑스레이를 통과하고, 사람은 문형탐지기를 통과해야 한다. 그리고 빈 카트는 옆으로 내보낸다.

어라? 이상이 없네?

캐리어를 열어 검사를 해봤으나 평범한 여행객의 짐이었다. 몸에도 무언가를 숨긴 흔적이 없었다. 하지만 이 여행객의 표정은 다른 이들과 미묘하게 달랐다. 짐 검사가 끝나자 안도의 표정을 짓는 것도 그렇고, 무언가 찜찜했다. 눈앞에 있을 것이 분명한 보물을 보지 못하고 있는 느낌이랄까? 아직 내 실력은 만렙에 다다르지 못한 것인가?

그냥 보내야 하나…… 그때 내 눈에 뭔가 자연스럽지 못한 광경이 들어왔다. 그가 밀고 왔던 카트의 앞 받침대가 접혀 있었다.

공항에는 짐이 많은 여행객이 쉽게 사용하도록 카트가 곳곳에 배치되어 있다. 앞 받침대를 접었다 폈다 할 수 있어서 짐이 많을 때는 접어서 차곡차곡 실을 수 있고, 짐이 적으면 앞부분을 펴서 짐이 굴러떨어지지 않도록 할 수 있다. 카트를 여러 개 포갤 수 있도록 받침대는 자동으로 펴지고 접히는데, 그의 받침대는 계속 접혀 있었다.

물론 고장 난 것일 수 있다. 그런데 이 여행객은 21번 캐러셀까지 굳이 가서 고장 난 카트를 끌고 왔다. 오호라, 뭔가 있겠군! 보물을 드디어 찾은 것인지도 몰라!

"잠시 카트 좀 보겠습니다."

말을 하자마자 나는 알 수 있었다. 보물이 거기에 있구나. 그의 눈동자가 심하게 흔들리고 있었다. 흔들리는 동공 속에서 당신의 금괴 향을 내가 느낀 것이지!

공공 물품에 밀수품을 은닉하는 경우는 흔치 않았다. 나는 카트의 앞 받침대 아래에 단단하게 붙여 놓은 금괴를 결국 찾아냈다. 그러니까 이 여행객은 거기에 금괴를 붙이고 안 보이게 끌고 오느라 그렇게 시간이 오래 걸렸던 거였다. 나름대로 머리를 잘 굴린 것은 인정. 하지만 보물찾기의 고수가 세관에 있을 줄은 미처 몰랐겠지?

초등학교 시절 보물찾기에 성공하면 연필이나 공책 등의 상품을 받았지만 일터에서는 보상이 없다. 하지만 짜릿함은 여전하다. 내가 일을 잘하고 있다는 뿌듯함까지 보탤 수 있으니 아마 그 기쁨은 더 클 것이다.

세관직원의 역할을 잘 해내기 위해서는 집착과 끈기도 중요하지만 끊임없이 배우고 노하우를 쌓아야 한다. 입국장에서 꾸준히 수련해 보물찾기 만렙을 넘어 인간투시기로 거듭나고픈 마음이다.

금덩이를 사랑한 미녀?

태국발 항공편의 캐러셀이 돌기 시작했다. 캐러셀 주변을 순찰하던 나는 가볍게 한숨을 내쉬었다. 태국발 항공편에서는 마약이나 금괴를 밀수하는 여행자가 종종 적발되었다. 그런 만큼 거동이 수상하거나 눈에 띄는 행동을 하는 여행객이 없는지 주의 깊게 살펴야 했다. 주위를 두리번거린다든지, 세관 선별 라인을 살핀다든지, 짐을 가지고 냅다 화장실로 들어간다든지…….

저 앞에 한 명이 눈에 띄었다. 그런 사람.

멀찍이 여행객 하나가 서 있었다. 빨간 민소매 원피스를 입은 여성이었고 키가 무척 큰 편이었다. 다소 피곤한 표정으로 자신의 수하물을 기다리는 중이었는데, 종종 세관검사대가 있는 쪽으로 눈길을 주었다.

그 여행객 외에는 특별히 더 수상하다거나, 눈에 띄는 사람이 없었다. 나는 그녀에게 다가가 말을 걸었다.

"신고대상 물품은 없으신가요?"

"네."

그녀는 선선히 답했다. 가까이에서 보니 퍽 순진해 보이는 인상이었다. 그렇지만 이 일을 오래 하다 보면 이상한 감 같은 게 생기게 마련이다. 그냥 넘겨서는 안 될 몇몇 특이점이 보였다. 엑스레이 검사대 방향으로 여행객을 안내했다. 그사이 찾아온 수하물을 엑스레이 벨트 위에 다시 올렸다.

"문형탐지기 통과해서 이쪽으로 나오세요."

그녀가 문형탐지기를 통과하자, 금속반응 알람이 울렸다. 곧바로 주머니 등 소지품 여부를 재확인했다. 특이사항이 없었다.

"한 번 더 통과해주시겠어요?"

문형탐지기에서는 여전히 날카로운 알림 소리가 났다.

"신고대상 물품 소지하신 것 없으세요?"

그녀는 말간 얼굴로 없다는 말만 반복했다. 상대의 말을 있는 그대로 받아들일 수 있으면 얼마나 좋을까만, 신체 내 은닉이 의심되는 상황이었다.

그녀를 정밀검사실로 안내하기 위해 간단히 상황을 설명하고 양해를 구했다.

"여권 좀 보여주시겠어요?"

그동안의 입국 기록과 세관검사 이력 등을 조회해 보기 위함이었다. 그런데 나는 그만 불필요한 곳에서 깜짝 놀라고 말았다. 이 사람, 법적으로는 남자였던 것이다.

태국은 트랜스젠더가 상대적으로 많은 국가다. 과거에도 근무 중에 종종 본 적은 있었는데, 이렇게 업무 상대가 되고 보니 좀 헷갈리기 시작했다. 여직원인 내가 계속 그녀의 정밀검사를 담당하는 게 맞는지 아니면 지금이라도 동료 남자 직원을 호출해야 하는 건지 판단하기가 어려웠다. 그녀는 자신을 여성이라 생각할 테니 여자 직원에게 검사받기를 원할 것 같기는 했다. 그렇지만 그게 그냥 내 추측이라면? 저 사람이 실은 남자 직원을 불러주기를 원하고 있다면 어떡하지? 모르는 게 있을 땐 물어보는 게 상책이다.

"저, 지금부터 신체검사를 받으실 텐데요. 남자 직원과 여자 직원 중에서 어느 쪽이 더 편하시겠어요?"

"직원 분께서 계속 검사해주세요."

짐작이 맞아서 다행이었다. 그리고 한편으로는, 엄청나게 긴장이 되었다. 아까부터 표정 관리를 하느라 나는 진땀을 빼는 중이었다. 이런 종류의 실전 정밀검사는 처음이었기 때문이다.

밀실에서의 신변검사에 입회할 다른 직원을 추가로 호출하고 촉수검사를 가장 먼저 시행했다. 무슨 기대를 하고 시행한 건 아니었다. 애당초 그녀가 입고 있는 원피스엔 주머니도 없었다. 얇고 심플한 디자인이었으므로, 신체 내부에 은닉했으리라 추정하는 게 더 합리적이었다. 처음부터 당신 몸 안쪽을 우리가 좀 들춰봐야겠습니다, 그럴 수는 없으니까…….

"제자리에서 앉았다 일어나는 동작을 반복해주세요."

"지금요?"

"네, 제가 됐다고 할 때까지 반복해주시면 됩니다."

나는 속으로 생각했다. 앞으로 더 곤란한 검사가 시작되기 전에, 차라리 여기서 걸리는 게 나아요.

아니나 다를까, 그녀가 앉았다 일어나기를 몇 차례 반복하자 툭, 하는 소리와 함께 치마 밑에서 무언가가 떨어졌다. 묵직한 것이 떨어지며 내는 둔탁한 소리였다. 나는 확신했다. 금을 숨겼구나.

바닥에 떨어진 걸 주워들었다. 돌돌 말린 비닐 뭉치였다. 안에서 순금으로 된 목걸이, 반지 따위의 장신구가 몇 점 나왔다. 금붙이를 비닐에 돌돌 싸 속옷 속에 감춘 것이다. 나는 물끄러미 그녀의 얼굴을 보았다. 그녀는 그제야 조금 미안해 보이는 표정을 지었다.

"저기, 이게요. 친구가 부탁해서 선물하려고 가져온 건데……."

그녀가 더듬더듬 사정을 설명하기 시작했다.

"한 번만 봐주시면 안 될까요."

그녀의 애원과는 무관하게, 나는 그녀에게서 진술서를 받아야 하는 처지였다. 태국어가 가능한 직원을 호출하는 등 추가적인 조처가 진행되는 동안에도 그녀는 계속해서 선처를 호소했다.

이건 내가 봐주고 말고 할 일이 아니에요. 나는 이번에도 작게 한숨을 쉬었다.

이런 식으로 금품이 적발되고 나면 통고처분을 피할 수 없다. 금붙이들을 숨긴 방법이나 상황을 보아 신고대상인 것을 알면서도 고의로 세관 신고를 하지 않았음을 알 수 있기 때문이다. 마음이 안 좋았지만, 돌이킬 수 없었다.

Episode 01

Episode 02

Episode 03

Episode 05

Episode 06

Episode 07

Episode 08

Episode 09

Episode 10

가족의 발견 In 인천공항

...

아버지는 계획이 다 있구나

숨길 수 없는 사랑

만 오천 원의 양심

내돈내산 아니에요

아버지는 계획이 다 있구나

"세관신고서와 여권을 제시해주세요."

여느 때처럼 국외 여행객으로 성황을 이루던 늦여름이었다. 세관검사대로 인계된 한 가족의 세관신고서에는 신고 물품이 없다고 표시되어 있었지만, 나는 다시 한번 물었다.

"면세점에서 여행 직전 시계를 구매했습니다."

가족 대표로 나선 아버님은 살짝 수줍은 얼굴로 손목에 찬 시계를 내보였다. 어린아이들과 아내가 곁에 서 있었다.

출국 직전 면세점에서 고가의 시계를 구매한 것이 확인되었고, 그 시계가 실제로 국내로 반입되었는지 확인하기 위해 세관검사 대상으로 선별된 것이었다. 당시 축구 스타 호날두가 광고 모델로 나서 꽤 인기가 높았던 시계였다.

기내에서 자진신고를 할까 말까 꽤 고민했겠군. 과정이야

어찌 되었든 어린아이들과 아내 앞에서 떳떳하게 행동하는구나. 이 정도면 멋진 아버지라 할 수 있지. 나는 아무렇지 않은 표정으로 예상 세액을 말씀드렸다.

순간 아버님의 얼굴이 굳어졌다. 간혹 예상 세액을 고려하지 않고 고가의 면세품을 구매한 여행객들은 세관검사대에서 고지서를 받아들고 기절초풍하는 일이 종종 있었다. 내 얼굴도 아버님을 따라 굳어졌다. 이럴 경우, 일은 쉽게 끝나지 않는다.

여행계획을 짜는 일부터 출발, 관광, 쇼핑까지 자고로 여행이란 것이 그리 만만한 일이 아니다. 그래서 모든 것을 마치고 돌아오는 귀국 비행기에서만큼은 푹 쉬는 것이 최고의 마무리겠지만 몇몇 여행객들에게 그 시간은 또 다른 고민의 장이 되곤 한다. 바로 세관신고서 작성 때문이다. 자진신고 후 세금을 감면받을 것인가, 가산세 40%의 위험을 무릅쓰더라도 일단 개겨볼 것인가 하는 고민. 짜장이냐, 짬뽕이냐 따위와는 비교도 안 될 만큼 큰 문제다.

"잠깐만요."

그들은 저만치 떨어져 숙덕거리기 시작했다. 가족들의 비밀회의가 열리는 동안 우리는 멀찍이서 그들을 바라보았다. 비밀회의에서 어떤 결론이 나올지 나도 궁금할 지경이었다. 잠시 후 아버님이 씩씩하게 걸어왔다.

"내가 방금 보여준 그 시계는 한국에서 구매한 거고요, 면세점에서 똑같은 걸로 사서 그건 괌 현지에 있는 지인한테 선물했어요. 그러니까 난 여기서 세금을 낼 이유가 없는 거죠. 맞죠?"

하, 그거였구나! 아버님의 계획은 그거였구나!

여전히 쭈뼛대고 있는 아내에게 아버님은 큰소리를 빵빵 쳤다.

"내가 다 해결할 테니까 당신은 먼저 나가 있어!"

그러면서 차고 있던 시계를 풀어 아내에게 쥐어 주며 등을 떠밀었다. 그 바람에 시계가 밖으로 반출되지 못하게 막는 우리 직원들과 가족이 출구에서 대치하는 상황까지 벌어지고 말았다. 나는 한숨을 쉬었다.

시계를 꼭 쥔 아내와 아이들은 이러지도 저러지도 못한 채 출구에 민망한 얼굴로 서 있었다. 절대 뒤돌아보지 말라는 전설 속 금기를 어겨 끝내 돌이 되어버린 가족들 같았다. 아버님은 그에 아랑곳하지 않고 혼자 기세등등하게 떠들어댔다.

"아니, 지금 나한테 시계가 없는데 세금을 어떻게 매기겠단 거지? 그 시계가 나한테 없다고! 그건 괌에 있는 친구한테 선물했다니까!"

그럴수록 가장의 권위가 바닥으로 뚝뚝 떨어진다는 것을 그는 왜 모를까? 어쩔 줄 모르고 선 아내와 아이들의 눈빛이 왜 그에게는 전해지지 않는 것일까? 그리고 그는, 내가 휴대품 검사 프로라는 사실을 왜 이다지도 모르는 것일까?

"내 동생이 변호사라고요, 변호사. 어디 한번 후회하게 해줄까요?"

사실 그도, 자신이 말도 안 되는 억지를 부리고 있다는 것을 알고 있었을 것이다. 하지만 위기를 모면하기 위해 한번 시작된 거짓말은 쉬이 끝나지 않았다. 그의 눈빛 역시 이미 흔들리기 시작했지만 에라, 모르겠다, 될 대로 돼라, 하는 심정으로 마구잡이 생떼만 쓰고 있었다.

"아버님, 여기 아버님의 시계 구매 확인서도 있습니다. 미신고 가산세에서 그칠 일을 밀수입죄 처벌까지 받으시려고요?"

밀수입죄 이야기까지 나오자 아버님은 끝내 항복했다. 그동안의 싸움이 무안했던지 허허, 너털웃음을 웃기까지 했다.

"이거, 미안하게 됐습니다."

가장의 궁색한 변명을 잠자코 듣고 있던 가족들의 얼굴도 붉어졌다. 자진신고를 위해 줄지어 대기 중인 여행객들의 따가운 시선도 그제야 느낀 것인지 아버님은 눈에 띄게 조용해졌다. 나는 자진신고를 불이행한 것에 대한 가산세 고지서와 함께 납부하지 않을 경우 체납에 대한 불이익을 감당해야 한다는 안내문을 그에게 건넸다.

"와…… 그런데 그걸 어떻게 알 수 있어요? 거참, 여기 신기하네. 그나저나 좀 싸게 끊어주세요."

그렇게 떠난 그는, 그날 늦은 저녁 전화를 걸어왔다. 사과와 함께 발급받은 고지서의 세액은 성실히 내겠다는 인사였다. 이런 일을 하도 겪어 단련된 나지만, 그래도 그렇게 걸려온 전화가 고맙고 반가웠다. 아마 그는 가족들 앞에서 민망함을 감추느라 진땀깨나 흘렸을 것이다.

휴대품 검사를 하다 보면 신고대상 물품을 신고 없이 밀반입하다 처벌까지 이어지는 경우를 종종 본다. 그렇게 세액이 높은지 모르고 면세품을 구매한 사람들은 슬그머니 신고하지 않고 넘어가려다 세관에 적발되고, 그에 대한 책임을 무겁게 떠안기도 한다. 그런 걸 보자면 안타깝기도 하다. 부디 여행 전 관세청 홈페이지에서 예상 세액을 계산해 보기를 바란다.

구매하고자 하는 물품이 개별소비세가 부과되는 것인지, 예상 세액은 얼마일지 미리 따져보면 이런 일은 충분히 줄일 수 있을 것이다. 참고로 밀수출입죄는 5년 이하의 징역 또는 관세액의 10배와 물품 원가 중 높은 금액 이하에 상당하는 벌금을 물게 되고, 검사방해죄에 해당할 경우 1천만 원 이하의 벌금형에 처한다. 절대 가볍지 않다.

고가의 시계나 가방 등을 면세점이나 해외에서 구매할 경우 세관은 다 알고 있다. 2018년 4월 1일부터 거주자가 해외에서 신용카드 등으로 1건당 600달러를 초과하는 물품을 구매하거나 현금을 인출할 경우 실시간으로 관세청에 통보되기 때문이다. 뭔가 오류가 있을 거예요, 라고 아무리 우겨본들 소용없다. 세관은 그리 만만한 곳이 아니다.

짜장면을 시켜도 후회, 짬뽕을 시켜도 후회, 결혼을 해도 후회, 안 해도 후회라지만 자진신고는 그에 빗댈 일이 아니다. 자진신고의 후회와 관세법 위반의 후회는 어마어마한 차이가 있으니 그 점을 미리 인지해 '슬기로운 공항 생활'을 하시길 진심으로 기원한다.

숨길 수 없는 사랑

공항에는 '키스 앤 크라이 존'이 있다. 말 그대로 '입 맞추고 눈물을 흘리는 공간'이다. 어떤 이는 친구, 가족 그리고 연인과 함께하는 여행에 설레고, 어떤 이는 눈물 바람을 하며 이별을 하고, 어떤 이는 그저 손목시계만 바라보며 바쁜 걸음을 옮기고. 나는 그런 곳에서 근무한다. 어떤 이유로든 떠나는 이들을 배웅하는 게 나의 임무다.

출국하는 커플이 휴대반출 신고를 하겠다며 세관신고대에 방문했다. 커플 티에 커플 모자, 커플 선글라스까지 온몸을 커플 아이템으로 휘감은 이들이었다. 공항에선 흔히 보는 차림이라지만 마주칠 때마다 기분이 좋아졌다. 행복한 기운이 전해지는 느낌이랄까. 행선지는 괌이었다. 역시 신혼부부군.

"신고하실 물품 보여주시고요, 휴대반출신고서도 작성해주세요.”

내 말에 남자가 쭈뼛거리며 작은 클러치를 꺼냈다.

휴대반출은 일시 출국하는 여행자가 출국 시 가져갔다가 입국 시 재반입할 귀중품 및 고가의 물품을 신고하는 제도다. 그런데 남자가 내민 가방은 누가 봐도 사용 흔적이 많은, 오래된 물건이었다. 입국 시에도 전혀 문제가 될 것 같지 않았다.

“이건 굳이 휴대반출 신고를 하지 않아도……”

내가 미처 말을 끝내기도 전에 남자는 옆에 선 여자를 자꾸 떠밀었다.

“먼저 들어가 있어. 이건 내가 신고하고 갈게.”

“왜? 같이 가면 되잖아.”

여자는 의아한 얼굴로 남자 곁에 머물려고 했지만 남자는 고집을 꺾지 않고 계속 여자를 밀어냈다.

“담배도 미리 사야 하고, 우리 면세품 찾을 것도 있잖아. 먼저 들어가서 찾아 놔. 얼른.”

바쁜 출국 일정에 이 가방까지 신고할 필요는 없다고 설명해 드리려고 했지만 끼어들 틈을 찾지 못해 나도 난감했다. 남자의 태도도 이상했다.

출국장에서 함께 체크인하고 보안검색을 기다리며 보내는 시간이 얼마나 달콤한데, 왜 굳이 여자를 먼저 보내려는 걸까.

“이거 오래 걸려. 그러니까 자기 먼저 들어가 있어.”

아, 끼어들고 싶어. 이거 하나도 오래 걸리는 일 아니라고 말하고 싶어.

나는 속으로 중얼거렸다.

"보안검색도 한참 걸린다니까. 내 말 좀 들어, 제발."

남자의 고집에 결국 여자가 세관신고대를 떠나 보안검색 대기 줄로 옮겨갔다. 참 별일이군. 남은 신고서 작성을 마저 부탁하려는데, 남자가 메고 있던 가방에서 아주 작은 상자 하나를 꺼냈다.

"사실 가방 말고요, 이걸 신고하려고요."

"네? 그게 뭐죠?"

남자는 마치 스파이 작전이라도 하는 듯 주변을 경계태세로 샤삭 살피더니 아무도 없는 것을 확인하고서야 재빠르게 작은 상자를 열어 신고대 위에 올려놓았다.

하아! 반지였다.

반짝반짝 빛나는, 영롱한 다이아몬드 반지.

"저 사람은 이거 아직 몰라요. 못 보게 최대한 숨겨서 신고 처리해 주세요."

남자는 계속 주위를 살폈다. 나는 잠시 말을 잇지 못했다.

"결혼을 앞두고 있거든요. 이번 여행에서 프러포즈하려고요."

그랬구나. 그래서 자꾸 먼저 가라고, 제발 먼저 가 있으라고 그렇게 안절부절못했던 거구나.

"세관신고대랑 보안검색 대기 줄이 같은 곳에 있는 줄 몰랐어요. 아, 정말 당황했네."

남자는 멋쩍게 웃어 보였다. 그의 하소연이 귀엽기만 했다. 나는 그렇게 〈예비 신부 몰래 다이아몬드 반지 신고하기〉 미션에 합류했다. 누구보다 빠르게! 누구보다 신속하게!

신고서를 받고, 사진을 찍고, 전산에 등록했다. 그리고 여행자가 보관하는 신고서에 반지 상자를 꽁꽁 숨겨 드렸다. 이 모든 일은 3분이 채 걸리지 않았다.

"빨리 가세요! 예비 신부님 너무 오래 기다리게 하지 마시고요!"

다이아몬드 반지를 가방에 넣은 남자는 예비 신부를 찾아 후다닥 세관신고대를 떠났다. 나는 아주 기분 좋은 핑크빛 바람을 두 뺨에 맞은 기분이 들었다. 좋겠다. 프러포즈하는 남자도, 프러포즈를 받는 여자도.

정말 좋겠다. 나도 모르게 자꾸 웃음이 났다.

부디 괌에 도착해서 프러포즈하는 날까지 반지를 들키지 않기를. 그리고 세상에서 가장 예쁜 프러포즈를 꼭 해내길. 나는 그날 생애 처음 만난 두 사람의 행복을 진심으로 기도했다.

만 오천 원의 양심

근무 교대를 하기 위해 반송대로 들어서자마자 격앙된 목소리가 터져 나왔다.

"아니, 나는 자진신고를 했다고! 그런데 내가 돈을 왜 또 내!"

기탁 세관신고대에서 택스 리펀 문제로 민원인과 한참 실랑이를 벌이다 왔는데 여기도 상황은 마찬가지였다. 일정 보관료를 받고 입국 시 유치*된 물품이나 예치**한 물품을 돌려주는 일을 하는 반송대는 여행객들로 인산인해였다. 나는 자리로 가기도 전에 이미 진이 빠질 지경이었지만 고생하고 있는 선배가 안쓰러워 빠르게 민원인 앞에 섰다.

* 유치: 세관통관이 유보된 물품을 세관창고에 보관하는 것.

** 예치: 세관통관할 의사가 없어 세관창고에 맡기는 것.

"선생님, 육류는 입국 시 반입금지 품목이에요. 그런데 국내 반입하셨죠? 다시 반송해서 찾아가시려면 유치 보관료를 내셔야 합니다."

내 기준으로야 이보다 더 상세한 설명이 어디 있을까마는, 민원인에게는 쉽게 먹히지 않았다.

"들어올 때 내가 자진신고 했다고. 그래서 나한테 돈도 줬다니까?"

이건 또 무슨 소리람.

출국장에 와서 자진신고를 했다는 건 무슨 소리며, 자진신고를 했다고 누가 돈을 줬다니. 그런 일은 애초 불가능한 것이어서 나는 도무지 상황 파악이 되지 않았다. 곤란한 표정으로 선 내 곁으로 선배님이 다가왔다.

"선생님, 누가 돈을 줬다는 말씀이시죠? 찬찬히 말씀해 주세요."

민원인은 버럭거렸다.

"너희들이! 그 검사하는 사람 있잖아! 다 아는 사이일 거 아냐? 전화해 보라고!"

"저희는 자진신고를 했다고 해서 돈을 드리지 않아요. 이해가 안 가서 그러는데, 설명을 좀……"

"자진신고 하니까 착하다고 나한테 돈을 줬다니까 그러네. 그게 이해가 안 가요?"

여행객은 미국 교포였다. 한국에 들어올 때 소시지를 갖고 왔다가 유치된 것이었다. 육류나 육가공품은 신고 여부와 상관없이 검역대상 물품으로 반입금지다.

대형마트 환급이벤트도 아닌데 누가 돈을 줬다는 건 말도 안 되는 소리였지만, 민원인은 보관료를 낼 수 없다는 적반하장 태도를 조금도 굽히지 않았다.

"너 말고 제일 높은 사람 나오라고 해!"

실랑이가 생길 때마다 듣는 레퍼토리다.

"제가 제일 높은 사람입니다. 저한테 말씀하세요."

"내가 자진신고를 했다고! 내가!"

하나 마나 한 말들만 오가고 있었다. 목소리는 얼마나 큰지 그 넓은 면세구역에 쩌렁쩌렁 울렸고, 면세점 직원들이 흘깃거렸다. 줄 서 있던 보따리 상인들조차도 시끄럽다며 고개를 절레절레 내저었다. 얼굴이 화끈거렸다. 자주 겪는 일이라고는 해도 무덤덤해지지 않았다.

이 민원인이 몇 시간 동안 버티고 있으니 다른 사람들의 반송 접수도 뒤로 밀려났고, 탑승이 얼마 남지 않은 사람들의 불만이 쏟아졌다. 결국 가족들이 말리기 시작했다.

"여보, 그냥 돈 내고 갑시다. 탑승 얼마 안 남았어요."

"아빠, 얼른 가요."

민원인은 호락호락하지 않았다.

"무슨 소리야! 난 죽어도 못 내! 그리고 당신들, 우리 가족은 한국어 못 알아들으니까 이제부턴 영어로 말해!"

처음부터 끝까지 막무가내였다. 마음 같아서는 유창하고 냉철한 영어로 다다다 쏘아붙여주고 싶었지만 그저 마음뿐이었다. 영어 공부 좀 진작 할걸. 이런 상황이 한두 번이 아니었는지 가족들은 망연히 뒤에 서서 지켜볼 뿐이었다.

만 오천 원이었다.

만 오천 원이라는 돈은 누군가에게는 큰돈이고, 누군가에게는 그렇지 않을 것이다. 적어도 그 순간, 나에게는 그 돈의 부피가 작았다. 이렇게 야단법석을 부릴 바에야 나는 내 돈으로 보관료를 내주고 싶은 심정이 되고 말았다.

두 시간이 넘도록 버티던 민원인은 탑승 시각이 되어가자 이제는 비행기 삯을 물어내라고 소리치기 시작했다.

"나 미국 가야 하는데, 못 타면 너희들 때문이야. 그러니까 비행기 표 물어낼 각오해!"

만 오천 원을 대신 내주고 싶은 마음을 꾹꾹 눌러 참는 내 옆에서 선배가 나직하지만 단단하게 말했다.

"저희가 선생님 비행기 표를 물어드릴 의무는 없습니다. 자진신고 이행 여부와 상관없이 보관료는 반드시 내고 가셔야 합니다."

그쯤 되자 가족들이 민원인을 극구 말리며 보관료를 지불

했다.

반송대에 싸늘한 긴장감이 흐르고 있었다. 그들이 떠나고 나서야 선배가 장난스러운 목소리로 말했다.

"너, 나 없었으면 어쩔 뻔했냐?"

"아마 울었겠죠."

한숨을 쉬며 대답했다. 진심이었다. 선배가 대신 상대해주었으니 이 정도지, 혼자 감당했더라면 감정적으로 견디기 힘들었을 것이었다. 생각만으로도 심장이 덜컹거렸다.

아마도 민원인은 입국 시 세관신고서를 작성해 자진신고를 하면 관세를 경감해 주는 것을, 출국 시에도 그럴 것이라 오해를 한 모양이었다.

육가공품은 관세를 납부하고 통관하는 품목이 아니라 애초 금지 품목이었다. 그래서 해외로 다시 반출할 때는 반송 절차를 밟아야 했다.

민원인들은 세관 창고에 본인 물건만 오롯이 있는 줄 알고 보관료에 대해 의아해하는 경우가 많다. 세관이 민원인들의 돈을 뜯어 간다고(!) 생각하는 일이 많다는 것이다. 하지만 매일 숱하게 쌓이는 유치 물품을 최소 한 달 이상 보관하는 일은 쉽지 않다. 창고 보관료는 당연한 일인데도 이렇게 매일매일 실랑이는 벌어진다. 부디, 내일은 조용하기를. 아무 일 없이 평화롭게 지나가기를.

내돈내산 아니에요

2017년 겨울, 이탈리아에서 출발한 비행기가 입국했다. 검사대로 나가자마자 한쪽에서 벌어진 소란에 눈길이 갔다. 다가가 보니 신혼부부로 보이는 커플이었다. 남자는 고래고래 소리를 지르고 있었다.

“도대체 나를 왜 검사하는 거냐고요? 이유가 뭐냐고요?”

나는 인사부터 한 뒤 여권을 받아 본인확인을 했다. 남자 여행객은 브** 시계를 차고 있었고, 여자 여행객은 구* 가방을 들고 있었다. 먼저 남자에게 물었다.

“해당 시계는 어디서 구매하셨나요?”

“한국에서 산 거예요. 결혼선물로 어머니가 주신 거예요.”

이번엔 여자에게 물었다.

“가방은 어디서 구매하셨죠?”

"시어머니가 결혼선물로 주신 거예요."

나는 두 사람의 대답에 끄덕이며 정중한 목소리로 부탁했다.

"확인해야 할 것 같으니 가방과 시계를 좀 벗어주시겠어요?"

또 고래고래 고함이 시작되었다.

"당신네들이 뭔데, 나한테 이래라저래라 하는 거예요? 우릴 의심하는 거예요? 이거 진짜 뭐 하는 거야?"

여자도 끼어들었다.

"버스 시간 다 됐거든요! 지금 가봐야 해요! 버스 놓치면 이 쪽에서 배상해줄 거예요?"

두 사람의 고함에 머리가 아플 지경이었다. 내가 아는 욕설은 아무래도 그날 한꺼번에 다 들은 것 같았다. 아직 검사를 시작하지도 않았는데 이게 뭐람.

"저기, 한국에서 구매한 걸 증명만 하시면 바로 나가실 수 있어요. 그러니 좀 진정하시고요."

"시어머니가 사신 걸 제가 어떻게 알아요? 어디서 산 건진 저도 몰라요!"

"시어머니와 통화 한 번 해 보시겠어요? 어디서 산 건지만 알려주시면 제가 직접 구입처에 연락해서 확인할게요."

그들은 알아보겠다고 하며 잠깐 자리를 비켰다. 십여 분이 지나 남자 여행객이 다가와 낮은 목소리로 말했다.

"어머니가 지금 요양원에 계셔서 통화가 어려운데요."

이런 식으로 나온다면 나도 어쩔 수 없지. 나는 선임 반장님과 담당 팀장님에게 상황을 설명해 드리고 의논을 했다. 팀장님이 검사대로 와 그들에게 물었다.

"실례지만 어느 요양원인가요? 환자분 이름은요?"

남자가 요양원과 어머니의 이름을 댔고, 팀장은 바로 확인을 했다.

물론 우리의 예상대로 그런 환자는 없었다. 요양원에 확인까지 할 줄은 몰랐는지 남자의 얼굴이 금세 붉어졌다. 그때 여자가 흐느끼기 시작했다.

"사실…… 시어머니가 돌아가신 지 얼마 되지 않았어요. 결혼선물을 사주시고는 식 올리기 며칠 전에 돌아가셨거든요."

우리는 모두 입을 다물고 말았다. 서늘한 정적이 흘렀다. 이럴 때는 무슨 말을, 어떻게 꺼내야 할까. 머릿속이 복잡해지던 찰나, 남자가 정적을 깨며 버럭 소리를 쳤다.

"야! 너 지금 돈 때문에 우리 엄마를 죽이냐? 아무리 그래도, 너 너무하는 거 아냐?"

우리는 아까와는 다른 이유로 입을 다물 수밖에 없었다. 기가 막혔다. 여자도 지지 않고 맞받아쳤다.

"세금 낼 능력도 없으면서 이런 망신을 준 게 누군데? 거짓말하자고 한 사람이 누구냐고, 지금!"

무시무시한 신혼부부의 싸움이 벌어지고 있었다. 팀장님과 나는 검사고 뭐고 두 사람의 싸움을 말리기 바빴다.

"네가 다 알아서 해! 난 이제 몰라!"

여자는 가방과 여권을 남자에게 던지고는 등을 홱 돌려버렸다. 남자는 민망한 얼굴을 감추지 못하고 고개를 숙였다.

"저기…… 이거 세금계산서 빨리 처리 좀……."

자진신고도 하지 않았을 뿐 아니라 거짓말까지 하며 세금을 회피하려고 했기 때문에 가산세도 부과되었다. 당연히 어마어마한 금액이었다.

"가산세만이라도 좀 빼주시면 안 될까요?"

남자가 사정했지만 별수 없었다. 나는 규정대로 세금계산서를 발행했다.

앞으로 이 두 사람의 결혼생활이 어찌 될는지 내심 걱정도 되었지만 나로서는 방도가 없었다. 세금 몇 푼 아끼려다 신혼여행의 추억을 통째로 날려 먹은 커플이 그저 안쓰러웠을 뿐.

최근에는 자진신고 비율도 많이 늘어났다. 신혼여행의 끝은 자진신고라는 것을 명심하고, 부디 싸움 없는 마무리 잘하셨으면 하는 마음이다. 내돈내산* 인데, 이왕이면 세금도 정당하게 내고 여행의 마지막을 즐겼으면 하는 마음이다.

* 내돈내산: '내 돈 주고 내가 산 물건'을 줄여 부르는 신조어

Episode 01

Episode 02

Episode 03

Episode 04

··· Episode 05

Episode 06

Episode 07

Episode 08

Episode 09

Episode 10

동물의 왕국

• • •

울고 싶어라

고양이 울음소리가 들려온 건 야간근무를 앞두고 막 저녁 식사를 마친 즈음이었다. 이 시간에 고양이 울음소리라니. 게다가 유치창고* 쪽이었다.

반입이 금지되거나 성분이 불명확한 물품, 면세 범위를 초과한 물품들을 보관하고 있는 유치창고에서 들려오는 고양이 울음소리라면 이건 필시 골치 아픈 일이 벌어질 전조였다.

유치창고 문을 열어보았다. 이게 무슨 일이람? 창고는 고양이들로 와글와글했다. 고양이를 키워본 적 없는 내가 품종을 알아볼 수는 없었으나 딱 보아도 귀티가 자르르 흐르는 녀석들이었다.

* 유치창고: 세관에서 유치한 물품을 보관하는 창고.

한 녀석은 케이지 안에서 서럽게 울고 있고, 한 녀석은 어떻게 케이지를 빠져나온 것인지 구석에 처박혀 있고, 또 어느 녀석은 저만치 쌓인 박스 위에 기어올라가 있고……. 이럴 땐 개판이라고 할 수도 없고 고양이판이라고 해야 하나. 도대체 이 상황을 어떻게 정리해야 할지 감이 잡히지 않았다. 그때 창고 문이 벌컥 요란하게 열렸다.

"당신이 뭔데, 우리 고양이들을 유치한 거야?"

중년 남성이었다. 뭐든 큰소리로 버럭거리면 기선을 제압할 수 있을 것이라 생각하는 부류인 듯했다. 세관에서 일하는 동안 숱하게 보는 부류지만 여전히 그런 무례함에는 적응이 안 된다. 그의 곁에는 바짝 굳은 표정의 러시아 여성이 서 있었다. 이 상황에 관해 묻고 싶은 건 오히려 나였다.

"저도 좀 여쭤보겠습니다. 이 고양이들, 뭐죠? 무슨 일로 데려오신 거죠?"

중년 남성은 여전히 씩씩거렸다.

"애들, 고양이 박람회에 출품하려고 데려왔다고요! 몸값이 어마어마한 애들이라고!"

고양이가 예쁘긴 하지만 그렇다고 녀석들의 몸값까지 신경 쓸 여력은 없다.

"빨리 통관시켜줘요! 여기서 이러고 있을 애들이 아니라고!"

남성의 호통에 귀가 다 아플 지경이었다.

고양이 박람회는 사실 처음 들어보았다. 대충 검색해보니 실제 있는 것이기는 했지만 그렇다고 쉽게 통관할 일은 아니었다. 여행객들이 본인이 키우던 동물을 한두 마리 검역을 통해 통관하는 일이야 많지만, 이곳은 상용목적으로 고양이 떼를 와르르 몰고 와서는 안 되는 인천공항 여객청사였다. 그리고 나는 그 인천공항 여객청사의 세관직원이었다.

"선생님, 이 고양이들은 여행자 휴대품으로 통관할 수 없습니다. 화물청사로 반입해서 정식 수입 절차를 거치셔야 해요. 검역도 완료하고, 세금도 납부한 후에 통관할 수 있어요."

이런 말이 쉽게 먹힌다면 그게 어디 세관일까? 남성은 언성을 낮추지 않았다. 고양이들까지 내처 울어대니 그야말로 난장판이었다. 머리가 지끈지끈 아파왔다. 어딘가로 전화를 걸던 중년 남성이 나에게 전화를 내밀었다.

"받아보세요."

보통 이렇게 넘겨받는 전화는 소득이 없게 마련이지만 별수 없었다. 나는 전화를 받았다.

"네, 세관입니다."

"대체 그 고양이들이 왜 통관이 안 된다는 거예요?"

이쪽도 막무가내긴 마찬가지였다.

"여긴 여객청사 공항 휴대품과입니다. 여행자 휴대품에 한해서 통관을 하고요, 상용 애완동물은 여기가 아닌 화물청사

수입과를 통해 정식 수입 절차를 거치셔야 해요."

"무슨 소리예요? 그 고양이, 그분들이 키우던 애들인데. 이상한 소리 말고 얼른 통관시켜줘요!"

역시나 말이 달랐다.

"이분들은 박람회 출품하러 데려오셨다던데요. 지금 전화하시는 분은 어떤 일 하시는 분이세요? 이 고양이들에 대해 잘 아시나요?"

상대가 말을 얼버무렸다.

"아니, 난 그냥…… 옆집 사람인데요."

도대체 옆집 사는 사람이 여기에 왜 나선단 말인가. 오늘 야간근무는 이렇게 엉망이 되고 말려나.

"어쨌든 그 고양이들은 검역만 하면 되잖아요. 그럼 오늘 통관 가능한 거 아녜요?"

아무래도 했던 말, 백 번은 다시 해야 할듯했다.

"네. 상용 애완동물은 여객청사를 통해 통관하는 게 아니라 화물청사를 통해 정식 통관하셔야 한다고 말씀드렸습니다."

"그 사람들 다시 바꿔 봐요!"

나는 중년 남성에게 전화를 도로 돌려주었다. 스피커폰으로 통화 중인 줄 모르는 상대가 말을 아무렇게나 내뱉었다.

"세관 놈들, 정말 더럽게 따져대네. 그냥 대충 좀 해주지!"

알고 보니 중년 남성은 고양이 분양업체의 대표였다.

박람회 출품도 다 거짓말이었고, 비싸게 팔릴 만한 고양이들을 한국에 들여와 분양하는 이였다. 이 녀석들은 사바나캣이라는, 꽤 고가에 팔리는 품종이었다. 그럼 뭐 해. 이 창고 안에서 배를 곯으며 야옹야옹 불쌍하게 울고나 있는걸. 안쓰러운 녀석들.

그렇다고 절차를 무시하고 상용 고양이들을 이곳에서 통관해줄 수는 없었다. 나는 차분히 앉아 분양업체 대표를 어르기 시작했다. 녀석들을 빨리 내보내 주려면 그 수밖에 없었다.

"보세운송* 이라는 절차가 있어요. 그걸 통해 화물청사로 옮겨 정식 수입절차를 거치면 됩니다. 보세운송 업체에 연락해서 얼른 진행하는 게 고양이들이나 선생님께도 이득이 되는 일이에요. 무작정 통관시켜 달라고 해서 될 일이 아니잖아요. 네, 선생님? 지금 애들 다 굶고 있는데 어쩌시려고요?"

그제야 남성이 누그러진 기세로 발을 동동 굴렀다.

"지금 밤이라 보세운송도 안 될 텐데, 내일까지 기다려야 하죠? 우리 고양이들 어쩌나……."

나는 유치창고 문을 열어주었다.

"우선 애들 굶지 않게 밥이랑 물 챙겨주세요. 잘 돌봐주시고요. 쟤들이 무슨 죄가 있겠습니까?"

* 보세운송: 세관 또는 보세구역 간 관세 등이 미납된 상태로 화물이 운송되는 것.

남성은 주섬주섬 챙겨왔던 통조림과 물을 고양이들에게 꺼내 주었다. 순식간에 고양이들이 몰려와 먹어댔다. 애초 제대로 신고하고 절차대로 했으면 좋았을 일을, 조금 쉽게 가려고 이리저리 둘러대다니. 답답하기도 하고 안타깝기도 했다.

지방에 사는 두 사람이 돌아갈 곳이 마땅치 않아 나는 팔자에도 없이 그들과 밤을 지새웠다. 다음 날 보세운송으로 고양이들을 옮기기까지 고양이들은 밤새 울고, 유치창고 직원은 고양이 배설물을 치우며 울고, 나는 고양이 울음소리에 괴로워 울었다. 정말이지 정신 사나운 하루였다.

작은 것들과의 전쟁

"신고할 물건 있나요?"

그들은 C국에서 온 유학생들이었다. 겨울 방학을 맞아 귀국한 그들은 스무 살 동갑내기였다. 두 유학생은 아직 솜털이 보송보송한 복숭앗빛 뺨을 하고 내 앞에 서 있었다. 순진한 얼굴이었다.

"확인이 필요하니까 각자 캐리어를 열어주세요."

세관씰이 매달린 두 개의 캐리어였다. 선별라인 직원이 안내하는 대로 검사대로 오면서 그들은 아무런 질문도, 저항도 없었다. 그저 별거 아닌 씰이라고 생각했던 걸까?

세관 전산에 씰 번호를 입력하고 엑스레이 영상을 지켜보았다. 손으로 찢어놓은 북어포 같기도 하고 작은 장난감 더미 같기도 한 저건…… 도대체 뭐지?

"이 안에 전갈 있어요."

유학생의 말간 목소리에 나는 화들짝 놀라고 말았다. 전갈이라고? 지금, 전갈을 가방에 넣어왔다고?

딸깍, 가방이 열리는 순간 나도 모르게 눈을 움츠렸다. 다행히도 전갈이 바로 모습을 드러내지는 않았다. 누더기인지 옷가지인지 모를 것들이 잔뜩 있을 뿐이었다. 일단 만지지는 말고, 눈으로만! 눈으로만 살펴보자! 나는 호흡을 가다듬었다.

채도가 낮은 칙칙한 잿빛 헝겊 주머니들이 불룩불룩 움직이고 있었다. 엄마 배 속에 들어앉은 태아들 같았다. 그 안에서 얼마나 답답했을까? 그나저나 전갈이라니.

유학생은 캐리어 바깥 주머니에서 작은 쪽가위를 꺼내 주머니 하나를 조심스럽게 뜯었다. 촘촘하지 않은 바느질 자리가 뜯겨나가고 작은 전갈들이 나타났다. 세 마리다! 전갈들은 갑자기 쏟아진 불빛에 놀란 듯 가만히 숨을 죽이고 있었다.

"용돈 벌려고요. 얘들이 아시안 포레스트 전갈이거든요. 독성도 약하고 성격이 온순해서 입문용 전갈로는 제일 인기가 좋아요!"

그러니까 이 전갈들을 팔아 용돈을 벌려고 했다는 거지? 맙소사. 그런데 요 녀석들아, 어쩌면 좋으니? 동식물은 허가 없이 함부로 들여올 수가 없는데? 안타깝지만 대한민국 공무원인 나는 너희들의 소중한 전갈을 압수할 수밖에 없단다.

조용한 사무실에 유학생들을 앉혔다. 부모님께 손 벌리지 않고 방학을 알차게 보내려고 했던 이 아이들이 성실하고 선하다는 건 알겠지만 방법이 완전히 틀렸다는 걸 설명해야 했다. 다행히 유학생들은 내 말을 순순히 알아들었다.

"전갈은 몇 마리나 가져온 거예요?"

나는 벌금액을 계산해야 했다. 전갈의 가격도 가격이지만 개체 수가 얼마나 되는지 정확히 파악해야 했다. 그러고선 예상 금액을 알려주어야지. 나는 친절한 대한민국 공무원이니까.

"우리 둘 합쳐서 천삼백 마리 있어요!"

그 해맑은 대답에 나는 그만 사고가 정지되고 말았다. 뭐라고? 천삼백 마리라고? 내 옆에 섰던 직원도 놀라기는 마찬가지였다. 별수 없다. 출동이다. 비상소집!

나를 선봉으로 총 네 명의 전갈잡이 용사들이 소집되었다. 우리에게 지급된 보급품은 목장갑, 쪽가위, 젓가락, 그리고 깊은 원통형 플라스틱 통이었다.

우리는 목장갑을 끼고 플라스틱 통에 새 비닐을 끼웠다. 쪽가위로 주머니의 실밥을 조심조심 뜯고 전갈들을 포획하기 시작했다. 전갈들이 다치지 않게 젓가락으로 한 놈 한 놈 집어넣었다. 숫자를 세는 것도 절대 잊어서는 안 되었다.

"꺄악!"

직원 하나가 사색이 되어 비명을 질렀다. 목장갑을 낀 그의 손가락이 가리킨 끝에 지네가 있었다.

"이건 또 뭐야?"

지네가 보양식으로 쓰인다더니 힘이 좋기는 한 모양이었다. 주머니를 스스로 뚫고 나온 지네는 구불구불 곡선을 그리며 기어 다녔다.

다른 직원들도 비명을 지르기 시작했다. 지네는 한 마리가 아니었다. 지네의 기습전에 놀란 우리는 정신없이 포획을 시작했다.

천삼백 마리의 전갈과 백오십 마리의 지네를 모두 생포하는 데엔 두 시간이 걸렸다. 캐리어 바닥에 땅굴을 파고 달아나려던 마지막 한 놈을 생포하는 순간 전쟁은 종식되었고, 검사대는 완전히 폐허가 되었다. 형형색색 자투리 천들과 숫자가 적힌 종잇조각들이 검사대 여기저기에 널브러져 있었다.

개체 수를 확인하고 나자 이후의 절차는 일사천리였다. 유학생들은 얌전히 협조했고, 벌금 고지서를 포함한 통고처분 서류를 받아 입국장을 빠져나갔다. 전갈과 지네들은 서울대공원에 위탁보관신청을 해두었다. 받아들여질지는 미지수지만.

그리운 로빈

멀리서 보면 다 예쁘다. 다 귀엽다. 강아지 이야기다. 하지만 나는 이 자그맣고 귀여운 강아지가 왜 그리도 무서운 걸까? 만지는 건 정말이지 엄두도 내지 못한다.

언젠가 친구가 갓 태어난 강아지를 나에게 덥석 안겨주었던 날, 나는 그 작은 몸이 가진 살짝 따뜻한 온기와 뭉클한 촉감과 성냥개비처럼 가늘던 뼈의 느낌을 여태 잊지 못한다. 다만 그걸로 끝. 더 이상의 강아지 경험은 사절이다.

성인이 된 지금도 길을 걷다 강아지와 함께 산책하는 사람과 마주치기라도 하면 나는 금방 가슴이 콩닥콩닥 뛰기 시작하고 슬슬 곁눈질을 하며 피해간다. 강아지들도 그런 내 눈빛을 읽는 것인지 '이 사람은 서열이 내 아래야!' 그러고는 왕왕 사납게 짖어댔다. 하지만 공항 입국장에 근무하게 되면서 나는 어쩔 수 없이 개들과 함께 일하는 사람이 되었다.

세관신고서를 받기 위해 서 있던 나에게 덩치 큰 마약견이 다가왔다. 개의 이름은 로빈이었다. 핸들러에게 가볍게 눈인사를 건네자 로빈도 나를 물끄러미 바라보았다.

마약 탐지견은 철저히 훈련을 받기 때문에 절대 사람을 해치지 않는다. 마약견이 되려면 사람과의 친화력이 무척 중요하기 때문에 짖거나 물거나 공격을 하는 일이 없어야 하고, 마약을 찾아내려는 의욕과 인내심이 상당해야 한다. 로빈도 그랬다. 보통의 개들과 달리 너무나 순한 눈을 하고 있어, 개라면 질색을 하던 나조차도 로빈에게는 친근함을 느꼈다.

여느 날처럼 로빈이 캐러셀 주변을 다니며 가방과 사람을 수색하던 중이었다. 로빈은 40대 중반쯤으로 보이는 남성에게 다가가 그의 엉덩이 쪽을 킁킁거렸다. 여행객은 로빈의 기척을 몰랐다가 어느 순간 큰 개가 자기 뒤에 와 있는 것을 보고 화들짝 놀라 큰소리로 항의했다.

"이게 뭐야! 이 개 왜 이래요? 당장 데려가요!"

다른 여행객들은 로빈을 그저 귀엽게 바라볼 뿐이었지만 그 남성 여행객은 펄쩍펄쩍 뛰며 기겁을 했다.

"마약 탐지를 할 거면 미리 양해를 구해야 할 거 아닙니까? 얼마나 놀랐는지 아세요? 저, 이거 민원 넣을 겁니다!"

핸들러에게 험한 말을 쏟는 그를 보며 내심 이해가 갔다. 저분도 나 같은 사람인가 보다. 그냥 개가 무서운 사람. 세상엔 그런 사람들이 정말 있으니까. 순하디순한 로빈은 그저 바닥에 엎드려 소란이 끝나기만을 기다리고 있었다.

로빈은 우수 탐지견으로 뽑히기도 했다. 캐나다에서 입국한 여행객이 밀반입한 신종 마약을 적발했던 것이다. 일반적인 마약류와는 달리 우표처럼 종이 형태로 제작되어 육안으로는 쉽게 식별이 되지 않는 것이었다. 개인용 노트 속에 은닉된 것을 로빈이 기특하게도 찾아낸 것이다. 그 사건 외에도 여러 명의 '약쟁이 승객'을 검거했고 무사히 빠져나갈 뻔했던 마약사범을 열한 명이나 감옥으로 보냈다. 대단한 로빈!

훈련센터에서는 로빈 같은 탐지견이 되기 위해 여러 종의 강아지들이 훈련을 받고 있다. 갓 태어난 강아지들은 1년 반에서 2년 동안 훈련을 받은 뒤 합격하면 오륙 년 정도 마약견으로 활동을 하게 된다. 대단한 활약을 하는 탐지견들이지만 긴 근무시간과 긴장된 생활이 계속되는 터라 8살, 9살이 되면 후각 능력이 떨어져 은퇴해야 한다.

처음엔 그저 물끄러미 나를 바라만 보던 로빈은 시간이 지나며 나와 익숙해졌고, 만날 때마다 마구 꼬리를 흔들며 반가워했다. 당시 8살이었던 로빈이 임무를 마치고 은퇴한 후 새로운 주인을 만나 이제 편안하게 살고 있다는 소식을 전해 들었다. 오늘따라 로빈이 그립다. 행복하렴. 정말 수고 많았어!

Episode 01

Episode 02

Episode 03

Episode 04

Episode 05

Episode 07

Episode 08

Episode 09

Episode 10

입국장에서 배우는 인생

• • •

내가 도둑이 될 상인가

성격이 무던한 편이라 일을 할 때 스트레스를 크게 받는 편은 아니다. 그런 내가 퇴근을 하자마자 강소주를 들이붓는 일이 생겼다. 그럴 만도 했다. 일주일 사이에 두 번이나 도둑 취급을 받은 것이다. 말도 안 돼, 나더러 도둑이라고? 그것도 두 번씩이나?

타슈켄트에서 출발한 비행기가 도착한 때였다. 수많은 사람들이 검사대에 서 있었다. 우리는 조금 예민해져 있었는데, 세관직원들이 유치물품을 전산에 등록하는 틈을 타 사람들이 물건을 놓고 도망을 가는 일이 종종 있었고, 심지어는 등록이 끝나 유치창고로 보내기 전 검사대 옆에 잠시 보관해둔 담배 더미를 훔쳐 가는 사건까지 발생했기 때문이다.

검사를 진행하던 중, 낯익은 여성이 보였다. 전적이 매우 화려한 사람이었다. 약 석 달 사이에 통고처분과 고발의뢰를 열 번쯤 거쳤으니 그야말로 상습 관세범이었다. 역시나 이번에도 캐리어 가득 담배를 한 무더기 숨겨왔다.

작은 크로스백을 멘 그녀는 마치 이런 상황을 처음 겪는다는 듯 한껏 억울한 표정을 짓고 있었다.

"그거 내 담배 아니거든요!"

캐리어에 달린 수하물 태그에 분명 자신의 이름이 적혀 있는데도 막무가내였다.

통고처분 담당 막내인 나는 그녀가 도주하지 못하도록 크로스백을 바구니 안에 넣고 지키는 중이었는데, 그녀가 자꾸 방을 들락날락하며 항의하려 해서 크로스백을 붙잡은 채 저지했다.

"왜 내 가방에 손을 대요? 지금 내 가방을 훔치려는 거예요?"

그녀는 손가락으로 나를 가리키며 고함을 치더니 급기야 울부짖기 시작했다. 나는 직원 명찰도 목에 걸고 있었고 밀착 경호하느라 그녀의 시야에서 사라진 적도 없었다. 나는 크로스백을 손에 쥔 채 어이가 없어 말을 잇지 못했다.

붉어진 눈으로 나를 보며 세관 구역이 떠나가라 소리를 치는 통에 결국 가방을 넘겨줄 수밖에 없었다. 그녀는 가방을 낚아채고는 한참이나 나를 노려보았다. 그러나 결국 크로스백 안에 있던 돈은 모두 벌금으로 내놓았다.

그래도 여기까지라면 괜찮았다.

딱 사흘 뒤, 입국장 뒤쪽에서 한 인도인 남성의 수상한 모습이 포착되었다. 개장검사 대상이라는 표시가 부착된 캐리어에 담긴 물건을 다른 캐리어에 옮겨 담는 모습을 순찰하던 직원이 본 것이었다. 그는 현행범으로 검사대에 인계되었고 그의 캐리어를 열어 확인해 보니 40kg에 육박하는 담배가 들어 있었다. 그의 세관 신고서에는 당연히 신고 물품이 없다고 기재되어 있었다.

마침 영어 담당 직원이 부재중이어서 별수 없이 내가 통역을 맡았다. 서툰 영어로 어떻게 해야 하나 걱정이 되었지만 다른 방법이 없었다.

"이건 왜 가져온 거죠?"

인도인 남성이 대답했다.

"중국에 가져갈 물건이에요. 중국에선 이런 거 제지하지 않아요. 한국에서 걸릴 줄은 몰랐고요."

모르쇠로 일관하기로 마음을 먹은 모양이었다.

"중국에서 이런 상황을 어떻게 처리하는지는 모르겠지만 한국의 세관 규정은 엄연히 다릅니다. 당신은 우리나라의 세관선을 통과했어요. 심지어 제대로 검사를 받지 않고 다른 캐리어에 옮겨 담는 것까지 들켰으니 물건은 압수될 겁니다. 벌금도 내야 하고요."

통고처분이 시작되었고, 나는 담당 직원 옆에 앉아 전산입

력 과정을 지켜보고 있었다.

"이봐요, 내 말 좀 들어봐요. 이건 중국으로 가져갈 거라니까요!"

인도인 남성은 어떻게든 상황을 모면하려 했지만 이미 고지서가 발행되었다.

"벌금은 12만 원 정도 나올 거예요."

내 말에 그는 주머니에서 한화 지폐 뭉치를 꺼내 흔들었다.

"벌금이 너무 많잖아요! 난 그럴 돈도 없고, 진짜 억울하다니까요!"

그래도 우리는 규정대로 전산 처리를 끝냈고, 벌금을 내지 않으면 입국장을 나갈 수 없다고 고지했다. 결국 그는 체념한 듯 돈을 주섬주섬 꺼냈다.

막내이다 보니 통고처분 업무에 배정된 지 얼마 되지 않아 일을 배우던 입장이었던 나는, 실습을 겸해 그와 은행까지 동행해 벌금을 내는 것을 확인하기로 했다. 그게 실수였다.

은행에 같이 간 것까지는 좋았는데 그가 은행원에게 바로 돈을 건네지 않고 내게 내민 것이었다. 나는 은행원에게 돈을 다시 건넸다.

"11만 원이네요? 만 원이 부족한데요?"

인도인 남성이 눈을 부릅떴다.

"난 12만 원을 줬는데요?"

그러고는 나를 쳐다보았다.

"당신, 지금 내 돈 만 원을 훔친 거야?"

하아…… 기가 막혔다. 바로 옆에 서서 어떻게 만 원을 가로챌 수 있단 말인가. 졸지에 도둑으로 몰린 나는 너무 황당해서 온갖 주머니를 다 털어 보였다.

"말이 돼요? 내가 어떻게 만 원을 가로챘단 말이에요?"

"내가 분명히 당신한테 12만 원을 줬다고! 그런데 그 만 원이 그새 어디로 가? 당신이 훔쳤잖아! 내 돈 내놔!"

영어에 능했다면 얼마든지 싸울 수 있었다. 하지만 내 실력은 그야말로 보잘것없어서 나는 버벅거리며 겨우 대들었다. 보다 못한 은행 직원이 CCTV를 확인하려 했지만 하필 우리가 서 있던 곳이 딱 사각지대였다. 골치가 아팠다.

"네가 내 돈을 훔친 거야!"

그가 소리치면,

"나 부자거든? 네 돈을 훔칠 필요가 없거든?"

이런 식의 어처구니없는 응수가 이어졌다.

"그럼? 그럼 나는 가난해 보여?"

대체 이게 뭐란 말인가. 인도인 남성은 옷까지 벗어부치며 싸움을 걸어왔다.

"이봐요, 난 공무원이야. 공무원이 여행객 돈을 훔치면 난 잘린다고! 내가 왜 그런 짓을 하겠어?"

맞받아치면서도 영어 좀 하는 사람이 이 광경을 볼까 겁이 났다. 이게 무슨 망신스러운 상황인가 말이다. 나도 지치고 그도 지쳐버리고 말았다. 그는 가운뎃손가락을 쳐들어 보이고는 만 원짜리 한 장을 은행 창구에 던지고 휑하니 사라졌다. 그러니 내가 강소주를 마실 수밖에.

모든 상황이 정리되고 나니 퇴근 시간이었다. 극심한 피로가 몰려왔다. 술 한 방울만 들어가도 얼굴이 빨개지기 때문에 아예 술을 입에 대지 않는 나였지만 그날은 집 앞 편의점에서 소주를 한 병 샀다. 벌컥벌컥 들이켰고, 그날 밤 나는 필름이 끊겼다. 그리고 나는 이제 절대 내 손으로 벌금 납부액을 만지지 않는다. 그저 통고처분만 할 뿐.

꼼꼼하게 뒤적뒤적

입국장으로 발령을 받은 지 한 달도 안 되었을 때였다. 야간 근무로 잔뜩 피곤했던 나는 교대 시간만 기다리고 있었다. 누가 봐도 보따리상인 것 같은 남자가 커다란 짐을 몇 개나 들고 걸어오고 있었다. 남자의 짐에는 세관씰이 붙어 있었다.

"신고할 것 있나요?"

"아뇨, 없는데 제 가방에 이상한 게 붙어 있네요."

한국말을 잘하는 베트남 남성이었다.

"세관씰이 붙어 있네요. 가방 한 번 확인해 볼게요."

"아유, 원하시는 대로요. 검사하세요!"

남자는 아무렇지도 않은 표정이었다.

가방을 열자 고약한 냄새가 확 풍겼다. 베트남에서 오는 보따리상들은 고수를 비롯한 향신료를 많이 가져오기 때문에 특유의 냄새가 나기는 한다. 하지만 그 남자의 가방에서 나는 냄새는 조금 달랐다. 비린내였다. 왜 비린내가 나지? 의심스러웠지만 일단 가방을 검사했다. 향신료와 가공식품들이 잔뜩 있었다.

"본인이 먹고 쓸 정도만 가져오셔야 해요. 이렇게 많이 가져오면 세관에 유치하는 수밖에 없습니다."

"그래요? 그럼 유치하세요."

남자는 거리낄 것 없다는 듯 내가 검사를 하며 꺼낸 물건 외에도 자신이 구석구석 숨겨둔 물건까지 알아서 착착 꺼내놓았다. 남자가 우호적이니 골치 아플 일은 없겠다, 생각하며 물건을 꺼내고 있는데 가방 밑바닥에 정체 모를 검은 비닐봉지가 있었다. 백팩 정도의 크기였는데 만져보니 물컹물컹했다. 열어보고 싶지 않다는 생각이 바로 밀려왔다. 그러고 보니 비린내는 그 봉지에서 나고 있었다.

"이건 뭐죠?"

조금 전까지 유창하게 한국말을 하던 남자가 갑자기 베트남어로 우물우물 대답했다. 뭔가 있군. 나는 어쩔 수 없이 봉지를 열었다. 그 안에는 내 팔뚝만 한 생선이 그득 들어 있었다. 장시간 비행기 안에서 시간을 보낸 생선이라 썩은 내가 진동했다.

으으, 이 냄새…… 생선이 맞다는 것을 확인하고 다시 가방 안에 넣으려던 순간, 팀장님이 곁으로 다가왔다.

"잠깐만. 내가 좀 볼게."

팀장님은 망설이지도 않고 봉지 속에 장갑 낀 손을 집어넣었다. 휘휘 휘젓던 팀장님이 입을 열었다.

"내 이럴 줄 알았지. 여기 숨기면 모를 줄 알았어요?"

팀장님 손에는 랩으로 둘둘 만 담배 한 보루가 들려 있었다.

"저 안에 담배 더 많으니까 다 꺼내서 확인해."

그렇게 돌아가는 팀장님이 어찌나 멋있어 보이던지. 나는 혼자 감탄하며 장갑을 끼고 진득진득한 생선 봉지 속을 뒤적여 담배를 찾아냈다. 팀장님이 꺼낸 담배 외에도 일곱 보루가 더 있었다.

베트남 남성의 목적은 담배여서, 다른 향신료들을 유치할 때 그렇게 협조적이었던 것이었다. 그리고 일부러 상태가 안 좋은 생선을 가지고 오며 그 안에 담배를 숨겼던 것. 휴대품 검사 업무를 시작한 지 얼마 안 된 신규직원이었던 나는 상상도 못 했던 일이었다. 나는 베트남 남성의 가방을 빈틈없이 검색해 가공식품, 향신료, 그리고 담배까지 모조리 유치했다. 그 일 이후, 나에게는 어디든 손부터 넣어보는 나만의 검사법이 생겼다.

보따리상이 가져온 식용 귀뚜라미 봉지에 무턱대고 손을 넣었다가 기겁한 적도 있었지만 손을 넣어 면밀하게 살피는 검사법은 꽤 유용해서 커피 가루 속에 꽁꽁 숨겨둔 씹는담배를 단번에 찾아내기도 했다. 내가 이렇게 꼼꼼한 검사직원이 되도록 가르침을 준 건 팀장님이다. 그리고 검은 봉지!

영화 같은 추격전

봄바람 살랑살랑 가볍게 부는 좋은 날이었지만 내 눈꺼풀은 한없이 무거웠다. 전날 밤, 영화를 보느라 늦게 잠들었기 때문이었다. 별 기대 없이 본 영화였는데, 반전에 반전을 거듭하는 화끈한 추격전이 벌어지는 바람에 나는 잠이 다 달아나도록 영화에 집중했다. 그러니 출근길이 힘들 수밖에.

오전 11시, 입국장은 여느 날처럼 붐볐고 나는 여행자들을 살피며 감시업무를 하고 있었다. 그러던 중 화장실에서 중국인 여자 여행객이 캐리어에 붙은 세관씰을 억지로 떼고 있는 모습을 포착했다. 나와 눈이 마주치는 순간, 그녀는 매서운 눈빛으로 나를 바라보았다. 한눈에 보기에도 육상선수 뺨치는 다리 근육을 가진 사람이었다. 제지하려 다가가는 나를 보자마자 그녀는 냅다 달아나기 시작했다.

뭐야, 우사인 볼트야? 뭐가 저렇게 빨라?

정말 육상선수이기라도 했던 걸까. 하지만 나도 만만한 사람은 아니었다. 어릴 때 달리기깨나 했었다고!

게다가 지난밤 추격전이 이어지는 영화도 본 터였다. 영화처럼 나도 한번 달려 봐?

그렇게 우리의 갑작스러운 추격전이 시작되었다. 공항 서편에서 시작된 추격전은 동편 끝까지 계속되었다. 무려 1km였다. 숨이 턱턱 차올랐지만 영화 속 주인공이라도 된 양 흥미진진하기도 했다. 결국 그녀는 동편 끝 화장실에서 항복을 외쳤다.

세관직원이 되어 첫 추격전에서 만족스러운 결과를 얻는 순간이었다. 정밀검사를 위해 검사직원에게 인계해야겠다며 안도하는 순간, 바로 곁에서 생각지도 못한 일이 벌어졌다. 또 다른 외국인 여행자가 캐리어에 붙은 세관씰을 떼려고 고군분투 중인 것을 목격한 것이다.

'아니, 이건 또 뭐야?'

아무래도 지난밤의 영화가 나에게 무슨 데자뷔였던 모양이었다. 어리바리하게 나를 쳐다보던 두 번째 여행자가 상황 파악을 하고는 도망가기 시작했다. 나는 잠깐 망설였다. 두 번째 여행자를 추격하려면 첫 번째 여행자를 놓칠 수도 있는데, 어떡해야 하지?

첫 번째 여행자는 이미 모든 것을 포기했다는 듯 나를 보며 고개를 끄덕였다. 안심하고 다녀오라는 눈빛이었다. 걱정이 되지 않은 건 아니지만 그렇다고 두 번째 여행자를 놓칠 수도 없었기에 나는 그녀를 두고 달리기 시작했다. 첫 번째 추격전으로 아직 숨도 제대로 가다듬지 못한 상태였지만 그렇게 할 수밖에 없었다.

두 번째 여행자는 동편에서 서편으로 달리기 시작했고, 나도 따라 달렸다. 힘에 부쳤다. 그때 누군가 뒤에서 나를 따라 달리는 소리가 들려왔다. 다른 직원이 도우러 오는가 보다 하고 뒤를 돌아보았는데, 웬걸! 첫 번째 여행자였다.

그녀는 힘차게 달렸고 나도 덩달아 힘을 냈다. 결국 우리 둘은 한 팀이 되어 두 번째 여행자를 잡았다. 분명 지난밤 영화는, 주인공과 악당이 한편이 되어 또 다른 악당을 쫓는 내용이었다. 영화와 너무나 흡사한 상황에 나는 숨을 헉헉 몰아쉬는 와중에도 웃음이 났다. 나는 첫 번째 여행자에게 엄지손가락을 반짝 들어 보이며 공로를 치하했다.

나와 함께 두 번째 여행자를 쫓던 첫 번째 여행자의 마음은 무엇이었을까? 그 짧은 시간에 자신의 행동을 반성했을 리는 없고, 공로를 인정받아 정상참작을 바랐던 것일까? 아니면 일단 나쁜 놈은 잡고 보자는 생각이었을까? 첫 번째 여행자의 얼굴을 바라보며 나는 기분이 묘해졌다.

그렇다 해도 첫 번째 여행자의 잘못을 못 본 척 넘어갈 수는 없었다. 고마웠지만 나는 정당하게 업무를 처리했다. 첫 번째 여행자의 가방 속에서는 중국산 담배가 무려 이백 보루나 발견되었다. 그날의 추격전은 환상적이었지만 결국 두 사람 모두 관세법 위반으로 처벌을 받았다.

격렬했던 추적 60분

평일 아침 입국장은 언제나 그렇듯 붐볐다. 아침이면 검사가 더 많았다.

베트남에서 온 여행객은 주로 향채나 담배로 문제를 일으켰고, 우즈베키스탄에서 온 여행객은 씹는담배가 문제였다. 아침 입국장은 늘 향채와 씹는담배 냄새로 가득했다.

붐비는 건 일반 검사대나 엑스레이 검사대나 마찬가지였다. 엑스레이 검사대상이 된 사람들은 검사 후 특이점이 발견될 시 세관검사를 받아야 했다.

카트에 캐리어 서너 개를 올린 한 여행객이 내 앞으로 왔다. 히잡을 쓴 여성이었다. 나는 그녀를 엑스레이 검사대로 인도하고, 곧이어 쏟아지는 여행객들의 일을 처리하러 선별라인으로 자리를 옮겼다. 그렇게 인계하는 사이, 히잡을 쓴 여성은 엑스레이 검사대 옆에 최대한 자연스럽게 짐을 놓은 다음 슬그머니 출구로 빠져나갔다. 담당 직원이 이를 눈치챘을 땐 이미 늦었다.

"한 여자가 히잡을 벗고 달려가던데요?"

내가 도주한 그녀를 좇아 출구로 갔을 때 보안 직원이 말했다.

"저쪽이에요, 1층 입국장 쪽!"

보안직원은 도주 방향을 알려줬지만 히잡을 벗어버렸다니 단서를 놓친 셈이었다. 히잡 말고 그녀에 대해 알고 있는 것이 없었다.

"일단 짐부터 확인해봐야겠어요."

엑스레이 검사직원의 말에 다시 검사대로 갔고, 확인 결과 엄청난 양의 씹는담배가 발견되었다. 76.5kg. 시가 6천만 원 상당이었다. 씹는담배 밀수가 종종 벌어지는 일이라고는 해도 이 정도의 양을 여자 혼자 들여오는 건 흔치 않았다.

세관직원들은 곧바로 추적에 나섰다. 각 층으로 인원을 나눠 수색했지만 쉬운 일은 아니었다. 1층 입국장은 출구를 빠져나가려는 수많은 여행객이 있었고, 그들을 맞이하는 사람들로 일 년 내내 북적이는 곳이었다. 출구로 이미 나갔으면 어떡하지? 나는 그만 마음이 아득해졌다.

"3층을 뒤져 봐!"

선배의 말에 3층 출국장으로 뛰어 올라갔다. 하지만 그곳도 입국장 못지않게 북적이고 있었다. 누군가는 벤치에 누워 출국을 기다리고, 가이드와 함께 일정을 논의하고, 카페에서 음료를 주문하고……. 여기서 그녀를 어떻게 찾지?

눈앞을 잠깐 스쳐 간 그녀의 인상착의를 기억한다는 건 거의 불가능했다. 우리가 가진 단서라고는 히잡을 썼다는 것과 여성이라는 것뿐이었다. 그것만 가지고는 이 넓은 공항에서 그녀를 찾을 수는 없을 것 같았다.

우리는 짧은 회의 끝에 인천공항공사의 도움을 얻기로 했다. 서무 담당 직원이 순식간에 공문을 작성했고 결재를 받아 공항공사 측에 발송했다. 팀장님과 나는 공항공사 CCTV실로 향했다.

"장소와 시간이 제일 중요해요. 그것만 알면 어디든 추적할 순 있어요."

CCTV실 담당자의 말에 나는 그나마 안도했다. 다행히도 관세범이 도주한 시간대는 정확히 알고 있었기 때문이었다. 담당자는 내가 말한 해당 장소와 시간대의 화면을 켜고 그녀를 찾아냈다. 공항 CCTV는 정말이지 촘촘해 사각지대가 거의 존재하지 않았다.

화면 속 히잡 여성은 입국장 게이트를 나서자마자 히잡을 벗으며 달음박질쳤고, 1층을 길게 가로질러 3층으로 향하는 엘리베이터를 타고 있었다.

그녀의 이동 경로를 따라 CCTV 카메라 위치를 바꿔가며 추적을 계속했다. 3층 엘리베이터에서 내린 도주범이 화장실로 뛰어 들어가는 모습을 본 것이 마지막이었다. 그러고는 감쪽같이 사라졌다.

수많은 사람이 화장실을 들락거렸지만 그녀는 없었다. 오랜 시간 돌려봐도 마찬가지였다. 옷을 갈아입은 것이 틀림없었다. 얼굴로 판단하기에는 무리가 있었다. 공교롭게도 화장실 앞쪽 복도를 비추는 CCTV 카메라가 공항 내 모든 CCTV 카메라와 달리 구형이었다. 화질이 낮아 생김새까지 파악하는 건 어려웠다.

"이런…… 일주일 뒤에 신형으로 교체할 예정이었는데."

담당자가 난처한 얼굴로 말했다.

"옷을 갈아입은 거라면 아무래도 찾기 어려울 것 같은데요."

머리통이 지끈거렸다. 이대로 놓칠 순 없는데.

그때 한 명의 여행객이 내 눈에 들어왔다. 같은 신발이었다. 머리 길이도, 키도 비슷했다. 물론 옷은 바꿔 입은 상태였다. 따지고 보면 신발 빼고는 다 달라진 모습이었지만 하도 유심히 살피다 보니 발견할 수 있었던 것이다.

관세범은 출국을 앞둔 인파에 섞여 벤치에 몸을 숨기고 있었다. CCTV 화면에 표시된 시간은 불과 몇 분 전이었다. 옆에서 있던 팀장님이 나직하게 말했다.

"잡았다."

우리는 곧바로 3층을 수색 중인 동료직원에게 연락을 취했고, 그녀는 검거되었다. 관세범은 처음에는 격렬히 부인했지만 CCTV 사진을 제시하자 순순히 입국장으로 돌아왔다. 본인의 짐이 아니라고 우겨댔지만 CCTV 화면까지 속일 수는 없었다. 그녀는 무려 전날 밤 입국해 다음 날 아침까지 2층에서 세관을 피해 숨어있었다고 했다.

몇 개월 뒤, 나는 그녀를 통고처분 대상자로 다시 만났다. 그녀도 나를 다시 만난 것이 황당한지 피식, 웃음을 지었다. 절박하게 그녀를 추적하던 날의 기억이 다시 떠올라 나 역시 미소 지을 수밖에 없었다. 아아, 그 격렬했던 추적 60분의 시간.

오늘의 남우주연상

TK는 중앙아시아 U국의 수도다.

세관에서 근무하기 전까지는 TK라는 도시에 대해 들어본 적도 없을 만큼 나에게는 생소한 곳이었다. 나중에야 한국에 있는 외국인 노동자 중 적지 않은 비중을 차지하고 있고, 일 잘한다는 소문도 자자하다는 것을 알게 되었다.

우리 세관인들 입장에서 보자면 U국은 특별하다. U국, TK에서 오는 비행기가 스케줄에 뜨면 팀장님은 국가 대사를 결정하는 대책 회의라도 여는 양 바쁘게 팀원들을 소집해 업무분담을 해주었다. 일반적인 보따리상들이 많이 탄 비행기가 도착할 때 한두 명의 직원들이 캐리셀을 감시한다면 TK발 비행기 때에는 전 직원을 동원했다.

그만큼 여느 보따리상들과는 달리 조직적이고 집요했으며,

이제는 서로 얼굴도 알아보고 인사를 나눌 만큼 뻔뻔하고 능청스럽기도 했다. 한마디로 대단히 유명한 보따리상들이었다.

TK발 그들이 주로 밀수하는 품목은 판매를 목적으로 하는 식료품들과 그들의 주식인 빵이다. 아주 커다란 도넛 모양의 그 빵은 냄새가 하도 고소해 보기만 해도 침이 넘어갈 지경이었다. 물론 그들이 포장 하나 없이 가방 속에 쑤셔 넣어온다는 사실을 안 순간부터는 먹고 싶다는 생각을 아예 거두었지만. 향긋한 빵과는 달리 냄새가 너무나도 고약한 씹는담배도 그들의 주된 밀수품이다.

첫 발령을 받아 인천공항 입국장으로 오게 되었을 때 나는 입국장 안에서 보따리상들을 감시하는 업무를 맡았다. 겨우 중국인 보따리상들만 쫓아다니던 시절, 동료직원들은 TK 보따리상에 관한 이야기를 무용담처럼 늘어놓았다. 중국인 보따리상들의 수작에도 질릴 지경이었는데 TK들은 더하다니. 어느 정도일까? 나는 기대 반 걱정 반이었다.

며칠 후 TK발 비행기의 도착 소식에 우리 팀은 전원 출동했고, 신입이었던 나는 세관 구역 내에서 줄을 세우고 가방을 엑스레이 검사대로 투입하는 일을 맡았다. 거의 모든 짐에서 많든 적든 씹는담배와 식료품들이 적발되었다.

"정말 대단한 사람들이군!"

나는 감탄해 마지않았다.

승객들을 통제하고 있는데, 유난히 땀을 흘리며 불안해하는 한 남성이 눈에 띄었다.

"저기, 가방을 엑스레이 검사대에 올려 놓아주시겠어요?"

그는 머뭇거리며 내 손목을 붙잡았다. 무어라 외국어로 횡설수설하고 있기는 했지만 나는 전혀 알아들을 수 없었고 그의 불쌍한 표정에 어찌해야할 바를 몰랐다.

"무슨 일이시죠? 가방을 올려놓으셔야 하는데요?"

검게 탄 얼굴의 그는 절박한 표정으로 나를 바라보았고 내 손을 부여잡은 그의 손은 굳은살로 뒤덮여 거칠었다.

무슨 사연일까? 무엇 때문에 나에게 이렇게 간절한 얼굴을 하는 것일까? 고향에 두고 온 가족 생각? 말도 통하지 않는 이국 생활에 대한 두려움?

잠깐 흔들렸지만 그의 뒤로 줄을 선 사람들을 보고 정신을 차렸다. 시간을 끌어서는 안 되었다. 나는 그의 가방을 직접 들어 검사대에 올렸다. 가방은 몹시 무거웠다. 그의 삶의 무게도 이리 무거웠겠지.

그때 짧은 비명이 들렸다.

"억!"

화들짝 놀라 돌아보았다. 그가 손으로 가슴을 부여잡으며 무릎을 꿇은 것이었다. 그러고는 곧 바닥으로 쓰러졌다. 나는 머리가 아찔해졌다. 아까 애원하듯 내 손을 잡은 것이 이 고통 때문에 그랬던 것이구나! 내가 그것도 모르고!

깡마른 그의 이마로 땀이 비 오듯 쏟아지고 있었다. 놀란 마음에 허둥대던 나는 119를 부를 생각으로 주변을 둘러보았다. 그때 곁에 서 있던 선배가 휴우, 한숨을 내쉬더니 쓰러진 남자의 가방을 하나씩 집어 검사대에 올려놓았다. 아니, 사람이 쓰러졌는데 아무렇지도 않은 표정으로 검사를 계속하다니. 현장 정리가 급하다고 해도 쓰러진 사람을 위해 119를 먼저 불러야 하는 것이 아닐까. 나는 마음이 혼란스러웠다.

그때 다른 선배 하나가 지나가다가 말을 툭 던졌다.

"아저씨, 일어나요."

더 놀라운 일은 그다음이었다.

"아, 네."

쓰러졌던 남자가 머쓱한 얼굴로 일어난 것이었다.

"싸장니임! 한 번만 봐주세요!"

남자는 나를 붙들고 불쌍한 표정을 지어 보였다. 한국말도 유창했다. 그러니까 이 남자는, 세관검사를 피하고자 연기를 했던 것이다. 한두 번이 아니었으니 직원들도 코웃음을 치며 "일어나요, 아저씨" 하고 말았던 것이고. 기가 막혔다.

도대체 무얼 밀수했기에 이렇게 연기까지 했나 궁금했다. 별것 아니었다. 다른 TK발 보따리상들과 마찬가지로 식료품, 담배들이었다. 그는 결국 밀수 혐의로 통고처분을 받았다.

코로나19로 TK발 비행기가 끊긴 지 오래다. 바이러스가 잠잠해지면 또 만나겠지. 그 아저씨, 부디 건강하시기를.

통곡하는 여자

새벽 1시가 지나면 입국장은 적막해진다. 고단한 근무 끝에 찾아오는 고요함은 입국장 근무자들에게는 짧으나마 평온한 힐링 타임이 된다. 마치 폐장한 놀이공원에 혼자 남은 기분이랄까? 그런데 그 적막을 깨는 이가 나타났다.

새벽 2시였다. 입국자가 있을 리 없는 시간이지만, 그날 비행기 한 대가 연착했다. 옌타이에서 출발한 항공편이었다. 그리고 나는 한 중국인 여성과 검사대에 마주 섰다. 그녀의 가방에는 세관씰이 붙어 있었다.

"가방 검사하겠습니다. 오픈 플리즈. 혹시 한국어 할 줄 아세요?"

여성은 우두커니 서 있었다. 못 알아듣는 표정이었다.

"다카이(打開)!"

나는 서툰 중국어로 가방을 열어 달라 다시 말했다.

여성의 가방은 전형적인 보따리상의 것이었다. 정확히 5kg 씩 포장된 콩, 수수 등의 잡곡 사이사이 담뱃갑들이 숨겨져 있었다. 담배 보루를 하나하나 풀어 숨기는 과정이 더 귀찮았을 텐데. 어차피 검사하면 다 나올 담배를 뭘 이리도 구석구석 숨겨 놓았는지. 어떻게든 한 갑이라도 더 밀수하려는 열정이 느껴졌다. 입국장에서는 흔하게 일어나는 일이었다.

나는 숨겨 온 담배를 모두 꺼내 10개씩 묶어 개수를 헤아렸다. 캐리어뿐 아니라 그녀가 메고 온 배낭 안에 서도 담배 두 보루가 발견되었다. 담배는 또 있었다. 화장품 파우치 안에 두 갑, 스타킹 사이에 두 갑, 바지 속에 또 세 갑…… 다 모아보니 네 보루다.

면세 범위를 초과한 담배는 과세하거나, 세금을 내지 않겠다고 하면 세관에 유치해야 했다. 새벽 2시, 당연히 지쳐있을 시간이라 나는 빨리 검사를 마무리하고 쉬고 싶은 마음뿐이었다. 그래도 오늘 일은 끝이네…… 하는 참에 갑자기 그녀가 통곡하기 시작했다.

그녀는 고요한 입국장이 떠나가도록 대성통곡했다. 물건을 돌려달라며 훌쩍이는 민원인들을 상대한 적은 많았지만 이렇게 아이처럼 큰 소리로 울어대는 사람은 처음이라 나는 당황했다.

“그만 우세요! 규정을 위반하셨잖아요!”

나는 서툰 중국어로 만류했지만, 그녀는 내게 소리를 빽 질렀다.

"네가 내 가방을 다 찢어놨잖아! 배상해!"

이건 또 무슨 소리야? 내가 가방을 찢다니?

중국인 여성은 가방을 찢어 안감 사이사이 담배를 숨겼고, 심지어는 찢은 자리를 꿰매 놓지도 않은 채 입국했다. 그러고서는 나에게 가방을 찢었다고 덮어씌우는 거였다. 건너편 검역 직원들과 입국장 면세점 직원들, 청소용역 담당자분들까지 모두 나를 쳐다보았다. 얼굴이 달아올랐다.

"안 됩니다. 이건 안 되는 거예요."

중국어가 서투니 길게 대답할 수도 없었다. 나는 안 된다는 말만 반복했다. 하지만 그녀는 나에게 가방을 찢었으니 배상하라는 스마트폰 번역기만 들이밀며 악을 썼다. 기가 막힐 노릇이었다.

그렇게 한참을 울던 그녀는 일단 통곡은 그쳤지만, 나를 있는 힘껏 노려보며 자리를 떠나지 않았다. 큰 눈에 노기가 서려 있었다. 배상해주기 전까지는 절대 자리를 떠나지 않을 거라고 따가운 시선으로 나에게 경고를 보내고 있었다.

통역을 해주는 그린캡* 직원이라도 있으면 좋으련만. 새벽

* 그린캡: 세관업무와 관련하여 통역을 지원하는 직원.

이라 그린캡 직원은 이미 퇴근한 후였다.

일단 미안하다고 하며 어르고 달래기를 반복했다. 고집을 피우다 돌아갈 줄 알았는데 그녀는 예상보다 훨씬 놀라운 인내심을 가진 사람이었다. 장장 한 시간이나 눈물을 흘리며 시위를 했다. 망부석이 되겠다고 마음이라도 먹은 사람처럼 서 있더니 새벽 3시가 넘어서자 드디어 가방을 주섬주섬 챙겨 나갈 채비를 했다. 나는 그녀에게 슬쩍 물어보았다.

"가방…… 얼마예요?"

"3만 원이요."

"아…… 네."

그래. 소중한 가방이었겠지. 내가 알지 못하는 깊은 의미가 있는 가방이겠지. 나는 속으로 몇 번이나 한숨을 내쉬었다.

새벽 4시, 교대 시간이 되어서야 쉴 수 있었다. 평소라면 잠깐이나마 눈을 붙이려 했겠지만 그날은 그러고 싶지 않았다. 중국인 여성의 통곡 소리가 계속 귓가를 맴돌았기 때문이다. 나라고 마음이 편할 리 없었다.

문득 에스키모인들이 감정 가라앉히는 방법에 관해 책에서 읽은 것이 떠올랐다. 에스키모인들은 감정이 치밀어오를 때면 하던 일을 모두 멈추고, 분노가 가라앉을 때까지 걷는다고 한다. 그래서 나도 걸어 보았다. 새벽의 공항을 배회하다 보니 정말 찌꺼기처럼 남았던 감정이 사그라지는 것 같기도 했다. 하아, 세상에는 참 다양한 사람들이 있구나. 내가 죽었다 깨어나도 모를 것 같은 사람들. 나는 입국장에서 매일 이렇게 인생을 또 배운다.

Episode 01

Episode 02

Episode 03

Episode 04

Episode 05

Episode 06

 ··· Episode 07

Episode 08

Episode 09

Episode 10

보따리의 세계

• • •

흔들리는 짐, 흔들리는 눈동자

수단을 가리지 않는 밀수업자들

보따리 할머니도 초짜 직원은 알아본다

하루도 조용한 날이 없다

흔들리는 짐, 흔들리는 눈동자

공항 밖 사람들이 떠올리는 공항의 이미지란 '키스 앤 크라이 존' 정도가 아닐까? 사랑하는 이를 눈물로 떠나보내거나 오래 그리웠던 이를 다시 만나 격렬한 입맞춤을 나누는 곳…… 그런 곳. 하지만 내가 공항에서 일하며 실상 가장 많이 본 것은 그런 장면들이 아니다. 아름다운 이별, 국가수호라는 드높은 이상이 아니라 세계 각지에서 몰려오는 보따리상들이었다.

세관직원이 되기 전, 밖에서만 보아왔던 깔끔하고 쾌적한 1등 공항이라는 인천공항의 뒤편에서 나는 본의 아니게 전 세계의 특산물들과 매일 사투를 벌인다.

대한민국에 자국의 시장을 개척하고야 말겠다는 굳은 의지 하나로 본인의 몸피보다 더 큰 짐들을 비행기가 터지도록 싸오는 그들을 나는 매일 만난다.

내가 하는 일은 그들과 함께 짐을 열어보고, 유치하고, 그들의 우는소리를 들어주고, 바닥에 주저앉아 못 간다고 통곡하는 사람들을 어르고 달래는 것이다. 물론 정도가 심할 때는 그들을 처벌하는 일도 맡는다. 그러고 보면 이렇게 짐을 실어 오는 보따리상들도 대단하고 그걸 하나하나 열어보는 세관직원들도 참 대단하다.

그날도 나는 수많은 보따리상과 실랑이를 벌이고 있었다.

이름도 읽기 어려운 독하디독한 담배를 들고 온 아저씨가 지나가고 나면 본인 몸보다 더 큰 곡물 보따리를 들고 온 아주머니가 기다리고, 도대체 정체를 알 수 없는 무언가를 차곡차곡 신문지로 싸 온 잡상인도 만난다.

"담배 한 보루만 더 줘요. 두 보루 정도는 괜찮잖아요!"

능글맞게 구는 덩치들도 나를 지나간다. 그런가 하면 누가 뭐라든 항상 생글생글 웃으며 제 할 말만 하는 사람도 있다.

그저 흔한 하루였다. 배가 슬슬 고파왔으니 저녁 시간이 다 되었다 싶었고, 그때 내 앞에 선 남자는 무척이나 평범해 보였다. 주저하는 표정도 아니었고 거리낌 없이 짐을 검사대 위에 올려놓았다. 나는 빨리 끝내고 식사하러 가고 싶은 마음뿐이었고, 정해진 절차대로 짐을 하나씩 풀어 보았다.

"담배는 1인당 1보루만 면세입니다."

물론 그도 보따리상이어서 유치할 물품들은 많았다. 정체를 알 수 없는 잡화류와 주전부리들을 주섬주섬 유치 봉투에 담고 있는데, 문득 이상한 소리가 들려왔다. 마지막 짐꾸러미에서 나는 소리였다.

웡웡…… 웡웡웡웡…….

짐꾸러미가 달달달달 떨리고 있었다.

사람이 가장 공포를 느끼는 건 정체를 알 수 없는 것과 마주했을 때라고 누군가 그랬다. 맞는 말이었다. 검사대에 근무하며 이런 낯선 진동과 소리는 처음 느꼈다. 두려웠다. 이게 대체 뭘까?

두렵다 해도 내가 겪어내야 할 일이었다. 나는 커터칼을 들고 조심조심 보따리에 손을 대기 시작했다. 자칫 칼날을 잘못 놀렸다가는 물건을 망쳤다는 민원이 들어온다. 조심조심, 나는 떨리는 손으로 그보다 더 떨리고 있는 짐꾸러미를 향해 칼을 들이밀었다.

단단하게 포장된 물건들 사이 틈새를 찾아 칼날을 넣었다. 짐꾸러미 속 낯선 물건이 떨리는 것인지 내 손이 떨리는 것인지 나중에는 알 수 없을 지경이었다. 하나하나 포장을 뜯어냈다. 날짜를 잘못 안 산타클로스의 선물 보따리가 이런 행색이었을까? 지극정성을 들여 신문지로 싼 포장들은 끝도 없이 나왔다. 그 더운 베트남에서 이걸 어떻게 하나하나 포장했을까.

그 노고를 내 칼날이 여지없이 파고들고 있었다. 그래 보아야 옷가지, 과자, 장난감, 담배, 신발, 속옷……. 특이한 것이 없었다.

그렇다면 그 진동은 뭐란 말인가. 내 착각이었나? 지금에라도 칼을 거둬들여야 하나? 그런 생각을 하던 참에 보따리상 남자의 얼굴이 눈에 들어왔다. 내 손만큼이나 그의 눈동자가 떨리고 있었다. 뭐가 있긴 있구나! 나는 결국 마지막 꾸러미를 뜯었다.

설마 그것이라고는 생각지도 못했다. 그것은 검사대 위에서 유유자적 홀로 춤을 추었다. 관세법 234조에 따라 절대 지나가게 할 수 없는 그것. 대법원의 판례나 심의 결정에 따른 물건들만 개별적으로 통관이 허용될 뿐, 대부분은 통관이 제한되어 일단 유치한 뒤 심의를 받아야 하는 그것. 바로 성인들의 전유물…… 성인용품이 우리 모두 앞에서 혼자 춤추고 있었다.

보따리상 남자는 머쓱한 얼굴로 나를 바라보았다. 나도 마찬가지였고 검사대를 둘러싼 다른 직원들도 그랬다. 모두 말을 잃었고 끝내는 서로 민망한 미소만 주고받았을 뿐이었다.

"이…… 이게 뭐죠?"

몰라서 물은 것은 아니었다. 그저 절차였다.

남자는 대답하지 못했다. 물론 언어의 장벽 때문이었을 수도 있겠다. 멋쩍다 못해 인자하게까지 보이는 미소만 지었을 뿐이다.

자신의 짐꾸러미가 끝끝내 유치되었다는 사실에 아예 마음을 비운 남자는 그것의 춤을 막을 생각도 없어 보였다. 어쩌면 멈추게 하는 방법을 몰랐는지도. 사람들의 작은 웃음소리가 여기저기서 삐져나오고 있었다. 남자는 모든 것을 달관한 표정으로 입국장을 유유히 빠져나갔고 눈치 없는 그것은 유치 봉투에 담겨서도 계속 춤을 추었다.

수단을 가리지 않는 밀수업자들

60년대, 70년대에 유년기를 보낸 사람들만 해도 동네 친구들과 수박 서리를 했네, 참외 서리를 했네, 무용담처럼 떠드는 일이 많다. 당시야 서리가 동네 이야깃거리 정도였지만 지금이야 말도 안 되는 소리. 엄연히 절도이고 쇠고랑 차기 딱 좋은 일일 뿐이다. 그런데 이 시대, 인천공항에서 그런 절도가 일어났다면 그건 말할 필요도 없이 구속감이다.

작년 3월, 인천공항은 어디 한 곳 빈자리를 찾을 수 없을 만큼 북적였다. 늘 그렇듯 세관직원들의 임무는 국민의 건강과 안전을 책임지는 자리다. 여행객들이 들여오는 것들이 적법한 물품인지, 국민 건강에 위해한 물품인지 확인 절차 없이 통관시킬 수는 없다. 종종 막무가내로 떼를 쓰는 여행객들이 있지만 그런다고 될 일이 아니다. 세관은 만만한 곳이 아니다.

그 일은 이렇게 시작되었다.

A국의 건장한 청년들은 우리나라에서 씹는담배를 판매할 계획을 세웠다. 씹는담배는 한국에 사는 자국민들에게 인기가 높은 물건이었다. 하지만 명백히 판매를 목적으로 하는 물품이고, 관련법에 따른 허가대상 물품인 씹는담배를 무사히 들여올 방법은 없다. 무조건 세관 유치 대상이다. 당연히 A국 청년들의 씹는담배는 유치되었다.

그렇다고 일반인이 담배를 상용 목적으로 판매 허가를 받는다는 건 거의 불가능한 일이라 결국 그들은 유치품을 보관한 창고에서 씹는담배를 도로 훔치겠다는 어마어마한 계획을 세웠다.

세상에, 말도 안 되는 일이었다. 국가가 운영하는 보관창고에서 담배를 훔치겠다니! 공무원 생활 20년째지만 이런 계획은 들어본 적도 없다. 아무리 절박했기로서니, 아무리 우리나라 공무원을 얕보았기로서니!

밤 11시경, A국에서 온 남녀 여섯 명이 사무실에 나타났다. 혼자 일하고 있던 나에게 네 명의 여성이 다가와 에워쌌다.

"분실물을 찾으러 왔는데요."

분실물이 있다면 찾아드려야지.

하지만 나는 이들이 내 주위를 산만하게 만드는 와중에 건장한 청년 두 명이 유치창고 안으로 잽싸게 들어간 것을 눈치채지 못했다. 그들은 앞서 유치되었던 자신들의 물품을 훔쳐 챙고 밖으로 달아났다.

뒤늦게야 무언가 수상한 느낌이 들어 나를 에워싼 여성들을 피해 자리에서 일어났을 때 중량 28kg의 씹는담배를 훔쳐 도주하는 그들을 목격했고 곧바로 추적했다. 추적을 감지한 그들은 결국 담배를 복도에 버리고 황급히 공항 밖으로 달아났다.

확인해 보니 주범을 비롯한 A국의 여섯 명은 모두 보따리상이었고, 총 42회에 걸쳐 국내에서 밀수입죄 및 검사방해죄로 통고처분을 받은 전력이 있었다. 이들은 해당 밀수행위가 중대한 위법행위임을 알고 있으면서도 반성의 기미 없이 계속해서 죄를 저질러 왔다는 점에서 중형을 받아야 마땅했다.

사전에 여러 명이 범행 현장을 답사했고, 다수가 역할을 분담해 공모했으며, 밤 11시가 넘은 시각에 범행을 감행하는 치밀함까지 보였다. 연막작전을 수행한 여성 세 명을 추적해 임의동행한 후 절도사건과 관련한 진술을 받아냈다. 하지만 이들은 주동자들과는 서로 모르는 사이라고 끝까지 발뺌했다.

우리는 관내 영상과 외부 영상자료를 총동원해 이들의 행방을 추적했고, 신분이 확인될 때까지 관계기관과 공조해 범죄 상황을 분석했다. 3개월간의 끈질긴 추적 끝에 이들의 범죄 사실을 확인한 후 관련 범죄정보를 모두 수집해 이들을 절도죄로 관할 경찰서에 인계했다.

우리는 수년간에 걸쳐 공항에서 횡행하는 밀수행위과 질서 교란 행위를 차단하고자 노력해 왔다. 하지만 밀수물품의 벌금액 산정기준이 낮아 통고처분만으로는 실효성을 확보하기 어렵고 처벌에도 한계가 있다. 나조차도 마음 한구석에서는 소량의 담배라도 팔아 먹고살아야 하는 그들의 처지가 안쓰러울 때가 있었다. 하지만 세관공무원으로서 우리나라 살림을 탐하고 공항의 질서를 파괴하는 이들의 범죄에 응당한 처분을 내려 법질서 기강을 바로잡아야만 했다. 그게 나의 소임이다.

국가가 운영하는 유치창고에까지 들어와 절도를 계획한 그들은 가벼운 처벌을 예상했을 것이다. 우리는 엄한 처벌을 경찰에 요청했다. 가벼운 처벌의 한계를 조금이나마 극복할 수 있는 계기가 되었으면 하는 마음이었다. 법치국가의 근간은 이렇게 한 걸음 한 걸음 나가며 세우는 것이 아니겠는가.

아직도 공항 어딘가에서는 또 다른 밀수범들이 범행 모의를 하고 있을 것이다. 생계를 이유로 수단을 가리지 않고 밀수입을 계속 시도하고 있을 그들에게 이번 일이 교훈이 되었으면 하는 마음이다. 우리의 임무는 아직 끝나지 않았고, 현재진행형이다. 밀수 근절과의 전투태세, 이상 무!

보따리 할머니도 초짜 직원은 알아본다

"자, 오늘 준비들 단단히 하시고! 보따리 할머니들 입국합니다!"

동료 직원의 첩보가 전해졌다. 두근두근, 가슴이 떨려왔다. 아, 나도 드디어 보따리 검사를 하게 되는구나! 설렘 반 걱정 반이었다. 장난 아니라고 이미 소문이 파다한 보따리 할머니들의 입국. 도대체 어떤 풍경일까.

작년 겨울이었다. 인천공항 입국장에 막 발령받은 신출내기 내가 어리바리하게 세관 업무를 익혀가고 있을 무렵이었다. 비행기가 착륙했다는 소식과 함께 나는 만반의 준비를 마치고 씩씩하게 자리를 지켰다. 보따리 할머니들은 컨베이어 벨트 뒤편 벤치에 앉아 짐을 기다리고 있었다. 멀찌감치 서서 그들을 주시하는데 선배가 한마디 툭 던졌다.

"기다리지 마. 보따리야, 보따리. 네가 생각하는 캐리어가 아니라고. 짐이 어마어마해서 다 나오려면 한참 걸려!"

그렇겠지. 짐이 많겠지. 그렇게 생각했다. 하지만 정말 그 정도일 거라고는 상상도 못 했다. 카트에 키보다 더 높이 쌓인 이민가방들과 캐리어들.

맙소사. 저렇게 많은 짐을 실어 왔다고? 나는 넋이 나갈 지경이었다. 그런 풍경은 정말이지 처음이었다.

보따리 할머니들 대여섯 분이 검사대로 오고 있었다. 할머니들은 자신들이 검사대상임을 진즉 알아서 별도로 안내하지 않아도 척척 알아서 움직였다.

"알아서 갈게."

심드렁한 할머니의 반말에 안내하려던 나는 그만 머쓱해졌다.

희한하게도 할머니들은 모두 내 앞에 줄을 섰다. 뭐지? 다른 직원 앞 검사대가 한산해도 기어코 내 앞에 선 할머니들. 나는 나중에야 그 이유를 알 수 있었다.

아무개 할머니의 얼굴은 아직도 기억이 난다. 그 엄청난 짐을 너무도 익숙하게 검사대 위에 착착 올려놓던 손길. 이민가방만 서너 개였고, 캐리어가 세 개였다. 신규직원인 나는 그 양에 이미 압도되어 머리가 어지러울 지경이었는데, 할머니는 내 앞에서 현란한 손놀림으로 온갖 물건들을 꺼내놓기 시작했다.

가방 속 물건들은 그야말로 잡화상 수준이었다. 만두찜기, 떡삼, 녹용부터 화장품과 호랑이연고까지 재빠르게 늘어놓으며 내 얼굴을 쳐다보았다.

"자, 내가 다 내놓을게. 봤지?"

마치 그런 말을 하는 표정이었다. 내가 검사를 받는 것인지 할머니가 검사를 받는 것인지 모를 정도였다. 슬그머니 다시 짐을 챙겨 넣으려는 할머니 앞으로 결국 선배가 다가왔다. 나는 여전히 얼이 빠진 채 멀뚱히 서 있었다. 선배의 목소리는 유들유들했다.

"선생님! 짐 다시 올려주세요! 검사 하나도 안 받으셨잖아요!"

선배의 감독하에 내가 전혀 눈치채지 못했던 물건들이 하나씩 모습을 드러냈다. 담배는 낱개로 분리된 채 신문지에 돌돌 말려 있었고, 호랑이연고는 캐리어 모퉁이에 숨겨져 있었다. 가방 색과 구별이 되지 않는 비닐봉지에 포장되어 모퉁이에 꽁꽁 처박힌 호랑이연고를 내가 찾아낼 도리는 없었을 것이다. 추가로 선배가 떡삼*을 끄집어냈을 때는 감탄이 절로 터졌다. 이민가방 하단에 검정 비닐봉지에 싼 떡삼을 정교하게 펼쳐놓고 그 위를 다시 플라스틱판으로 덮어놓았으니 신출내기 내 눈에는 그저 그 플라스틱판이 이민가방 바닥으로만 보였던 것이

* 떡삼: 산삼을 납작하게 해서 바닥에 깔아 가져올 때 떡처럼 된다 해서 붙여진 말.

다. 도대체 할머니들은 이런 방법을 어떻게 연구해냈던 것일까?

홍삼과 녹용 등은 이미 규정보다 그 양이 훨씬 초과해 있었다. 허리춤에서는 스타킹으로 포장된 담배가 나왔고, 발목에선 골드바가 발견되었다. 발목에 골드바를 찬 할머니라니, 사람의 상상력은 정말 끝도 없었다.

할머니들이 내 앞에만 줄을 선 것은 뻔한 일이었다. 표정에서부터 어리바리한 것이 다 드러났는데, 얼마나 쉬워 보였을까. 보따리 할머니들의 타깃이 된 사람이 나라니. 나는 그 사실이 우스워 얼굴이 발갛게 달아올랐다.

나는 이제 그런 말간 얼굴의 신입이 아니다. 보따리를 검사할 때면 가방 제일 밑바닥부터 살피는 베테랑이다. 하지만 이제 할머니들은 잘 보이지 않는다. 코로나19 등 여러 악조건으로 활동도 드물어졌고, 한국의 세관검사는 이전보다 훨씬 더 단단해졌다. 그나저나 할머니들, 그때보다 더 연로해지셨을 텐데 건강하실까? 그 누구보다 힘이 넘치고 열정적인 분들이셨는데. 나도 참 별 걱정을 다 하네.

하루도 조용한 날이 없다

30분만 지나면 교대 시간이었다. 드디어 쉴 수 있는 시간이 다가오는 거다. 캐러셀을 바라보니 입국심사를 마친 여행객들이 나오고 있었다.

별일 없이 조용하게 지나는 하루인가 했지만 아니나 다를까 중년 남성의 고성이 들려왔다. 그러면 그렇지. 아무 일 없을 리가.

나는 무거운 몸을 일으켜 검사대로 갔다. 검사직원과 민원인이 말다툼을 하고 있었다. 검사대와 바닥에 술과 동전파스들이 널브러져 있었다. 이미 민원인과 한바탕 소동이 일어난 이후인 것 같았다.

민원인은 일본을 오가는 보따리상이었다. 이들이 반입하는 건 대부분 상용물품이라 일반 여행객들과는 면세 한도가 다르게 적용된다. 검사직원은 주류 및 상용물품에 관해 정식 수입신고를 위해 유치해야 한다는 사실을 안내하지만 민원인들은 아무것도 몰랐다며 한 번만 봐달라 조르곤 한다.

처음 해외여행을 다녀온 사람이라면 모를까. 이 민원인은 밥 먹듯 일본을 오가는 사람이었다. 검사 기록을 조회해보니 이미 몇 번 상용물품을 유치한 전력이 있고, 불과 일주일 전에도 물품을 유치했다. 유치할 때마다 세관직원의 안내를 받았을 텐데, 규정을 몰랐다는 건 거짓말이다.

"벌써 여러 번이잖아요. 상용물품들은 유치를 할 테니까 정식 수입신고 하시고 반입하세요. 그러면 됩니다."

검사직원은 같은 말을 반복했다.

"아니, 왜 얼마 되지도 않는 물건을 유치하냐고! 이 XX들아!"

세관직원이 욕 들어 먹으려고 하는 직업도 아닌데, 늘 이런 식이다.

"선생님, 이 물품들 전부 팔려고 가져오셨……."

말이 끝나기도 전에 민원인은 가방을 열고 물건들을 다 꺼내더니 검사대에 내동댕이쳤다.

"내 물건을 왜 너희들 마음대로 가져가냐고!"

"선생님, 이러시면 안 됩니다. 저희가 뺏는 게 아니잖아요. 선생님께서 수입신고만 하시면 됩니다."

소용없었다.

"그렇게 가지고 싶으면 다 가져! 너희들 다 가지라고!"

민원인은 분을 참지 못하고 온갖 욕설을 다 내뱉더니 급기야 캐리어를 들어 검사직원에게 냅다 던졌다. 캐리어 속 물건들이 와르르 쏟아졌다.

"자꾸 이렇게 억지를 부리시면 처벌받습니다! 이제 그만하시죠!"

"내 물건을 왜 가져가냐고! 이 XX들아!"

자기 물건을 가져가라고 소리를 지르다가, 또 왜 가져가냐고 소리를 지르다가, 민원인은 검사대를 엉망진창으로 만들고 있었다.

"자꾸 협조 안 하고 폭력 쓰시면, 경찰 부르겠습니다."

"폭력? 내가 언제 폭력을 썼어? 그래, 경찰 불러, 부르라고! 감옥 가면 될 거 아냐, XX!"

별수 없었다. 우리는 경찰을 불렀고 공항경찰대 수사과 직원이 도착했다. 경찰들은 낮은 목소리로 공무집행방해죄에 관해 설명했고, 그제야 주눅이 든 민원인을 입국장 밖으로 데리고 나갔다.

그래, 세관검사대가 조용할 리가. 늘 이렇지, 뭐.

Episode 01

Episode 02

Episode 03

Episode 04

Episode 05

Episode 06

Episode 07

 ··· Episode 08

Episode 09

Episode 10

위험한 선택

...

어느 모자의 잘못된 선택

부재중 전화 한 통이 들어와 있었다. 모르는 번호였다. 통화 버튼을 눌러보려다 이내 그만두고 말았다. 근래 보이스피싱 사기가 늘었다는 게 떠올라서였다. 몇 년 전부터 모르는 번호로 걸려온 전화는 잘 받지 않게 되었다. 우리 직원 번호도 아니고…… 필요하면 먼저 문자를 보내지 않을까, 생각하는 것으로 찝찝한 마음을 달랬다. 그러기가 무섭게 문자 한 통이 도착했다.

'부재중이셔서 경비실에 택배 두고 갑니다.'

좀 전의 그 모르는 번호였는데, 택배 기사님이었던 모양이다. 불현듯, 작년 여름에 있었던 사건 하나가 떠올랐다.

여름휴가가 한창이던 때였다. 그런 시기에는 자진신고를 하러 오는 여행자도 많아서 평소보다 업무량이 많다. 나는 금세

녹초가 되었고 제발 물 한잔 마실 동안만이라도 마음 편히 한숨 돌릴 수 있으면 좋겠다고 생각했다. 아니나 다를까, 귀신같이 세관실에서 알람이 울렸다.

선별라인에서 안내를 받은 어르신 여행자가 캐리어 가방을 끌며 다가왔다. 내 어머니 또래로 보였다. 나는 어르신의 캐리어에 매달린 씰을 제거하며 물었다.

“신고하실 물건 있으신가요?”

“아이고, 신고할 거 없어. 한번 확인해 봐.”

세관신고서에는 그녀의 대답처럼 신고할 물품 없음 항목에 체크되어 있었다. 그녀는 비행시간 때문인지 이미 잔뜩 지쳐 보였다. 눈도 많이 어두운 모양이었다. 낯을 잔뜩 찌푸린 채 캐리어의 비밀번호를 이리저리 맞춰보는데 아무래도 쉽지 않은 것 같았다.

“도와드릴까요?”

“으응, 000으로 좀 맞춰 줘. 내가 눈이 나빠서.”

아이고. 000은 초기 비밀번호다. 나이 많은 어르신의 캐리어 비밀번호는 열에 여덟이 000이었다. 어르신을 노린 사기가 많은 것도, 그런 사람들은 어르신들의 이런 서툰 점을 잘 알기 때문일 거다. 비밀번호 바꿔드릴까요, 하는 말이 입속에서 간질간질했으나 꾹 참았다.

어르신의 캐리어 안에는 약간의 옷가지와 고혈압 약, 간단한 간식거리가 들어 있었다. 우리 엄마의 캐리어를 열어본 것처럼 대체로 평범하고 익숙한 물건들이었는데…… 그 안에 딱 한 가지, 범상치 않아 보이는 게 있었다.

"선생님, 이건 뭐예요?"

"이거? 무슨 노래방 기계라고 하던데."

그 물건의 정체에 관해서는, 어르신 본인도 잘 모르는 눈치였다.

"노래방 기계요? 어떤 이유로 들여오신 건가요?"

"아는 사람이 노래방을 하는데, 갖다 달라고 부탁을 해서."

아는 사람이 부탁했다고? 노래방 기계를? 그것도 딱 하나만? 깔끔한 포장 박스에 들어 있는 그 노래방 기계는, 그녀의 낡은 캐리어 안에서 너무나 생뚱맞아 보였다. 자연스럽지 않은 그림에는 항상 무언가 문제가 있게 마련이다.

"선생님, 이것 좀 더 확인해 보겠습니다."

나는 어르신에게 건네받은 노래방 기계를 가지고 엑스레이 검색대로 향했다. 검색대를 지키고 있던 P가 나를 알아보고 눈인사를 했다.

"이것 좀 봐줄래요? 노래방 기계라고 하는데."

P는 내가 안고 있는 물건과 저만치 서 있는 어르신을 번갈아 쳐다보더니 물었다.

"노래방 기계요? 저분 보따리상이세요?"

보따리상들은 종종 노래방 마이크나 키보드, 외장하드 같은 걸 한국에 들여오곤 했다. 나는 고개를 가로저었다.

"글쎄, 그런 것 같지는 않은데……. 그냥 평범한 어르신 같은데, 안에서 마약 같은 거라도 발견되면 어떡해? 잘 좀 봐줘!"

P는 알겠다고 답했다. 엑스레이 검색대가 돌아가기 시작했다. 이내 어르신이 들고 온 노래방 기계의 내부 이미지가 화면에 출력됐다.

"엥?"

화면을 살펴보면 P의 입에서 이상한 감탄이 튀어 나왔다.

"이거…… 그거 같은데요."

"그거가 뭔데?"

"보이스피싱 기계요."

심박스라고 하는, 보이스피싱에 쓰이는 기계가 있다고 했다. 여러 개의 슬롯에 각각 다른 번호의 유심을 꽂아서 쓸 수 있는 기계였다. 그렇게 하면 070으로 시작하는 발신 번호를 마치 정상적인 핸드폰에서 걸려온 전화인 것처럼, 그러니까 010으로 시작하는 번호로 둔갑시킬 수 있다는 거였다.

"드라이버 어딨지?"

세상에 정말 별별 기계가 다 있었다. 무심코 어르신이 있는 쪽을 돌아보았다. 멀찍이서 노래방 기계의 검사가 끝나기만을 기다리고 있었다. 나도 모르게 한숨이 나왔다.

이윽고 어르신과 나는 조용한 사무실에 마주 앉았다. 테이블 위에는 막 해체된 노래방 기계와 그 안에서 발견된 심박스가 놓여 있었다. 어르신은 소리도 없이 눈물을 흘리기 시작했다. 딱 우리 엄마 연배의 어르신이었다. 마음이 좋을 리 없었다.

"선생님, 이거 누구한테 받으셨어요?"

"나는, 나는 모르는데."

어르신의 울음소리가 점점 서글퍼졌다.

"사실대로 말씀해 주셔야 합니다. 거짓말하시면 더 큰 문제가 될 수 있습니다."

급기야 어르신은 대성통곡하기 시작했다. 우리는 안정을 찾을 때까지 어르신을 그냥 기다리기로 했다. 얼마간의 시간이 지났다. 겨우 진정한 듯했다.

"사실은 우리 아들이."

어르신은 말을 맺지도 못하고 탄식했다.

"아휴, 어떡해."

"계속 말씀하세요."

어르신의 얘기는 이랬다. 그녀의 아들이 다음 비행기를 타고 곧 한국에 들어오는데, 짐이 너무 많으니까 이것 하나만 당신의 캐리어에 넣어 달라고 부탁했다는 거였다. 비행기를 따로 타자는 아들의 말에도 그냥 아들의 말이니 그게 맞으려니 했던 모양이었다. 확인해 보니 어르신이 말한 대로였다. 아들을 태운 비행기의 도착 시각이 얼마 남지 않은 상황이었다.

아들을 기다리는 동안 어르신은 계속 안절부절못했다. 말썽 한번 부린 적 없는 아들이라고 하면서, 아들의 선처를 부탁하고 또 부탁했다. 나는 그녀의 손에 따뜻한 차 한 잔을 쥐여주었다. 그리고 우리는 함께 어르신의 착한 아들을 기다렸다.

"아이고, 우리 아들……."

어르신을 발견한 아들은 한눈에 상황을 파악한 듯했다. 크게 동요하지 않고 모든 조사 절차에 순순히 응했다. 그의 짐에서도 어르신의 것과 똑같은 노래방 기계가 발견됐는데 당연하게도 내부에 보이스피싱 기계가 숨겨져 있었다.

절차가 진행되는 동안 아들은 어르신의 어깨를 간간이 토닥이며 괜찮다고, 괜찮다고 말하며 제 어머니를 달랬다. 어르신 말대로 그는 더없이 살갑고 착한 아들이었다.

어쩌다 잘못된 길로 빠지게 된 걸까? 그는 아직 서른을 넘기지 않은 젊은이였다. 분명 애지중지 자랐을 텐데. 그가 들여오려 했던 보이스피싱 기계가 얼마나 많은, 당신의 부모님과 같은 분들을 시름에 잠기게 했을지 그도 모르지는 않을 것이다. 어르신의 거친 손이 아들의 손을 꼭 붙들고 있었다.

숨은 불법식품 찾기

“참 신기한 직장이야.”

곁에 섰던 동료가 의아한 낯으로 돌아보았다. 나는 말 그대로라는 의미를 담아 어깨를 한번 으쓱했다.

인천공항 입국자 담당 부서에서 일하는 세관공무원은 정말이지…… 신기한 일생을 보낼 수 있다. 그렇게밖에는 설명할 수가 없다. 일반인으로 살면서는 평생에 한 번 볼까 말까 한 물건을 모두 만나 볼 수가 있으니까.

총기, 마약, 금괴부터 시작해서, 심지어는 살아있는 전갈, 원숭이와 같은 생물도 종종 적발된다. 이곳에서 근무한 지도 꼬박 3년째였다. 서당 개가 3년이면 풍월을 읊는다고 하더니, 여행자 휴대품 분야에서 나올 수 있는 거의 모든 불법 상황을 줄줄 읊을 수 있는 경지에 올랐다.

최근 여행객 사이에서 유행하는 밀수 품목은 외화나 마약이 아니다. 건강식품이라고 쓰고 불법 식품이라고 읽는 것인데, 요즘 어르신들의 잇템*이어서 그런지 들여오는 족족 잡아내도 밀수를 시도하는 사람은 언제나 있다.

사람들이 건강에 관심을 갖는 건 좋은 일이다. 사람들이 관심을 가지니까 관련 산업이 발전하는 것도 물론 좋은 일이고말고. 그런데 발전하는 건강 관련 산업이라는 게, 불법 다단계 시장도 예외가 아니라는 점이 문제였다. 이 세상에는 암이나 고혈압과 같이 치료가 더딘 병을 앓는 사람이 있고 그들의 절박한 심정을 이용해 돈을 버는 사람도 있다.

"퇴근까지 얼마나 남았지?"

나는 내 목소리가 너무 기도하는 것처럼 들리지는 않기를 바랐다. 동료는 픽 웃으며 대답했다.

"한 시간 정도요."

나를 포함한 모두가 반복되는 야간근무로 지쳐 있었다. 다들 아닌 척 해도, 어서 퇴근 시간이 오기만을 바라고 있을 거였다. 그때였다. 한 남성이 동료에게 다가왔다. 동료가 물었다.

"세관에 신고할 것이 있나요?"

"아뇨. 없는데요."

* 잇템: 꼭 있어야 하거나, 갖고 싶어 하는 아이템.

동료의 한쪽 눈썹이 미세하게 휘었다. 나는 천천히 고개를 가로저었다.

정말 이상한 일이었다. 세관에서 발생하는 모든 사건은 항상 똑같은 방식으로 시작된다. 직원들이 신고할 것이 있느냐고 물으면 상대는 무조건 아니라고 답한다. 아닌 게 말 그대로 아닌 세상에서 살면 얼마나 좋을까마는.

세관원은 항상 상대의 '아니요'를 의심해야 하는 직업이다. 아니나 다를까, 동료는 50대 남성의 짐이 체류기간에 비해 너무 많다는 사실을 이상하게 생각한 것 같았다. 동료는 남성을 세관검사대로 안내했다.

"신고할 물품 정말 없나요?"

"없다니까! 네가 뭔데 내 짐을 마음대로 검사해?"

아이고. 곱게 퇴근하기는 글렀다는 예감이 들었다.

"어느 나라 세관이든, 외국에서 국내로 들어오는 물품은 검사를 할 수가 있습니다. 협조 부탁드립니다."

"아무것도 없는데 대체 왜 난리냐고, 왜!"

나는 그의 캐리어를 번쩍 들어서 검사대 위에 올렸다. 캐리어의 지퍼를 열었다. 안에는 은색 포장지에 싸인 커피 원두가 가득 들어 있었다.

"봐요. 그냥 커피잖아요!"

"웬 커피를 이렇게 많이 가져오셨어요?"

"원래 동남아가 커피가 유명해요. 내가 커피를 엄청나게 좋아해서, 나 먹으려고 샀고 몇 개는 지인들 선물이에요. 됐어요?"

옆에 섰던 동료가 끼어들었다.

"인도네시아에는 왜 다녀오신 건가요?"

"사업차 출장 다녀왔습니다."

그의 대답에 동료의 고개가 모로 기울어졌다. 비즈니스 목적으로 출장을 다녀왔다는 사람치고는 캐리어의 내용물이 너무 단출했다. 여벌의 의류나 세면도구가 하나도 보이지 않았다. 게다가 그는 알고 있을까. 처음에는 반말로 응대하던 사람이, 가방을 열자 존댓말을 쓰기 시작했다는 걸.

나는 커피 원두가 든 비닐 팩을 집어 들었다. 손가락에 힘을 주니까 이상한 알갱이가 만져졌다. 비닐 너머를 더듬거리는 꼴이기는 해도 손끝의 감촉이나, 크기 같은 게 아무래도 원두가 아닐 것 같았다. 뜯어서 확인을 해봐야 했다.

"이거 좀 뜯어봐도 되겠습니까?"

남성은 조금 머뭇거렸다. 그의 얼굴이 천천히 시뻘게졌다.

"아무것도 아니면 책임질 거예요? 물어줄 거냐고!"

남성의 이마에 핏대가 올랐다.

"원두가 뜯는다고 상하는 것도 아니고, 본인이 드실 거라고 하셨는데요. 보상을 받으실 필요가 있나요?"

"아니, 그러니까 그게."

"최대한 손상이 가지 않게 조금만 뜯어서 확인하겠습니다."

그의 고개가 푹 꺾였다. 한숨을 내쉬는 걸 보자 확실히 뭐가 있겠구나 싶었다. 동료가 칼을 가져다주었다. 나는 포장의 윗부분을 조심스레 갈랐다. 안쪽에서 커피 원두가 아니라, 커다랗고 붉은 알약이 툭 튀어나왔다. 아무것도 없다고 그렇게 우기더니, 결국에는 드러날 것을!

솔직히 말하면, 조금 비꼬아주고 싶었다. 커피 원두가 참 크고 색이 곱네요. 인도네시아가 원두로 유명하다더니, 이걸로 커피를 내리면 붉은 커피가 되나요?

"이 알약은 뭐죠?"

마약은 아니었다. 그러니까 뭐라고 해야 할까, 밀수계의 신제품인 것 같았다. 사방을 휘둘러보며 한참을 머뭇거리던 남성이 체념한 듯, 사실대로 털어놓았다.

"사슴 태반 영양제입니다."

이 영양제의 제조업체인 싱가포르의 R사는 사슴 태반 줄기세포 캡슐 제품을 전문적으로 판매하는 다단계 회사였는데, 남성은 바로 그 R사에 등록된 회원이었다. 식약처의 인증을 받지 않은 제품임에도 시중에서 50만 원가량에 판매되고 있어, 판매수당을 받기 위해 위험을 감수했다는 거였다. 그러니까 비즈니스 차원의 방문이었다는 게 아주 거짓말은 아닌 셈이다…….

퇴근을 앞둔 동료와 나는 재빨리 캐리어 안의 모든 커피 원

두 팩을 개봉했다. 전부 같은 영양제가 들어 있었고, 세어보니 2만 정에 달하는 양이었다.

"왜 저런 영양제를 살까요? 효과도 없고 위험할 텐데."

남성을 조사부서에 인계하고 돌아온 동료가 마침 근처에 있던 팀장에게 물었다.

"뭐라도 먹고 나아지고 싶은 게 사람 심린데, 그걸 이용하는 놈들이 나쁜 거지 뭐."

곧이어 우리는 사슴 태반 영양제가 입국장에 불러일으킬 참사를 생각하며 몸을 조금 떨었다. 분명히, 분명히 아주 많은 사람이 밀수를 시도하고 걸리고 처벌받겠지. 나는 속으로 빌었다. 한국인들이여, 허위 과장 광고에 속지 맙시다. 국내 인증받지 않은 불법 식품은 먹지 맙시다. 저희 퇴근 좀 시켜 주세요, 좀!

퍼즐 맞추기

"아이고, 언제쯤 돼야 우리 신입이 적발하는 장면을 보나?"

과장님이 입국장을 지나가다가 말고, 허허 웃으며 말했다. 나는 그냥 멋쩍게 웃었다. 과장님은 입국장 6개월 차 신입인 나를 맨날 놀리는데, 그냥 신입이니까 놀리기만 하는 건지 아니면 어서 실적을 내라는 진심 어린 압박이 조금 섞여 있기도 한 건지 알 수가 없었다. 그러니까 그냥 웃을 수밖에.

나름대로는 열심히 근무하고 있었다. 밀수품을 적발해내는 동료를 보고 있으면 나도 뭔가 대단한 일을 해내고 싶다는 생각이 들었다. 눈에 불을 켜고 찾아보고 뒤져봤다. 좀 굵직한 불법행위를 하는 사람들은 자꾸 나를 피해 가는 것 같았다. 하루에 많게는 수백 건씩의 불법행위가 적발되는 게 입국장인데도 그랬다.

카자흐스탄 알마티발 비행기가 도착했다는 소식과 함께 오후 근무가 시작됐다. 엑스레이 투시 결과 총기류로 보이는 물건이 든 가방이 발견됐다. 총이라면 자신이 있었다. 평소에 슈팅 게임을 즐겨하기도 했거니와 동호회에 가입해서 오프라인 모임까지 할 정도였으니까. 이번에야말로 실적을 내는 건가, 나는 자신만만하게 문제가 된 여행 가방을 열었다.

"뭐야."

장난감 총이었다. 안에는 누가 봐도 장난감으로 보이는 총 한 자루가 들어 있었다.

장난감이라니. 세관원이라는 게 국경을 수비하는 일의 일종인 만큼 실망해서는 안 되겠지만, 좀 허무한 마음이 드는 건 어쩔 수가 없었다. 아무래도 큰 건을 적발할 팔자는 아닌가 보았다. 안 되는 일은 빨리 포기하는 편이 낫다. 그렇게 가방을 슬슬 정리하기 시작했는데…….

"이것들은 뭔가요?"

캐리어 곳곳에 정체 모를 작은 쇠붙이들이 들어 있었다. 검사대 맞은편에 서 있던 가방 주인이 기계수리 부품이라고 얼버무렸다. 기계수리 부품이라고? 정확히 뭔지는 모르겠지만, 그냥 통관시켜서는 안 될 것 같았다. 그때 다른 검사대에서 직원들끼리 웅성거리는 소리가 들렸다.

"총기를 분해한 것 같죠?"

"근데 조립해도 총은 안 만들어질 것 같은데?"

"부품이 좀 모자라네. 어디 더 숨긴 거 아닌가?"

말만 들어도 어떤 상황인지 대충 알 것 같았다. 직원들이 모여 있는 검사대로 가서 직접 확인해 보았다. 확실히 총의 일부로 보이는 부품들이 들어 있었다. 혹시 내가 검사한 가방 주인과 이쪽 검사대의 가방 주인이 일행이라면? 하는 생각이 머릿속을 스쳤다. 와, 드디어 나도 한 건 한 건가? 라는 생각도.

총기는 안보 위해물품 최고급 아이템이다. 이걸 적발하면 감춰왔던 나의 능력을! 세상에! 과장님께! 보여줄 수 있는 절호의 기회였다. 나는 당당하게 외쳤다.

"잠시만요! 제가 검사하던 가방에 이 총의 나머지 부품이 있는 것 같습니다."

가방 주인들이 당황하는 게 느껴졌다. 모르는 사이처럼 따로 검사를 받던 이들이었으나, 확인 결과 동행으로 밝혀졌다. 세관검사 과정 중 총기를 적발했다는 보고를 듣고 공항 내 유관기관에서도 물품을 확인하러 현장에 나왔다.

그들이 가져온 부품은 실제 총기의 부품이 아니라 모의 총포인 것으로 밝혀졌는데, 실제 총기는 아니어도 발포 시 일정 이상의 충격을 줄 수 있는데다 외형 등이 실제 총기와 흡사해 안보 위해물품에 속하는 물건이었다. 한 마디로 국내에 반입할 수 없는 물건이라는 소리다.

"이거 방아쇠가 없는데요? 방아쇠 보신 분 계세요?"

우리는 퍼즐 맞추기를 하는 사람들처럼 옹기종기 모여서 총기의 부품을 확인하기 시작했다. 모의 총포 부분품을 분해해서 두 개의 가방에 나눠 담은 건 고의적인 밀수행위임이 분명하지만, 이 부품들을 조립해서 완제품이 나온다면 총기 밀수에 해당하고 그게 아니면 총기 부분품 밀수에 해당하기 때문이었다.

그런데 아무리 찾아봐도 방아쇠가 없었다. 분명히 어디엔가 있을 것 같은데, 몸수색을 해봐도 방아쇠만은 발견되지 않았다. 사건은 그렇게 미완성 총기 적발 쪽으로 마무리되는 것 같았는데, 처음 보았던 장난감 총을 집어 가방에 넣으려는 순간이었다. 격발 방아쇠 모양이 좀 이상했다. 포장을 제거하고 장난감 총 방아쇠 부분을 자세히 보았다. 뭔가, 확실히 이상하고 어색했다.

"와…… 와."

상황의 전말을 깨닫자 감탄사가 절로 나왔다. 이건 정말 창의력의 영역이라고 밖에는 할 말이 없었다. 장난감 총의 방아쇠 부분에 모의 총포에서 분해한 방아쇠를 결합해 숨겨둔 것이다. 처음에 실망감을 안겼던 장난감 총이 이런 식으로 적발의 마지막 열쇠가 될 줄이야.

나는 자신 있게 장난감 총을 머리 위로 치켜들었다. 과장님, 보이시나요! 제가 드디어 한 건 했습니다! 마음속으로 외치면서.

너무나도 따뜻한 그 남자의 비밀

그날 중국 옌타이발 비행기에서 내린 여행객들은 기이하게도, 하나같이 너무 많은 술, 과다한 담배를 소지하고 있었다. 심야근무를 서던 중이었는데 졸음이 달아날 정도로 바쁜 건 퍽 오랜만이었다. 정신없이 검사하자니 시간도 훌렁훌렁 지나갔다.

문득 어떤 남자에게 시선이 가 닿았다. 그는 캐리어 없이 작은 가방들만 소지하고 있었는데 고개를 반쯤 숙인 채 선별라인을 통과하는 중이었다. 말끔하고 순진하게 생긴 얼굴. 그렇지만 중국 옌타이에서 온 것치고는 짐이 너무 적은데다 급한 발걸음과 움츠러든 어깨가 일반적인 여행자와는 좀 다른 구석이 있었다.

"선생님, 가방 엑스레이 검사 한 번 받고 가주세요."

결국 나는 그를 불러 세웠는데, 그는 여전히 순진한 얼굴이었다. 검사에도 매우 협조적이었다. 한참을 반복한 업무에 지쳐있던 터라 그의 친절한 태도가 너무나 감사했다. 얼른 절차를 끝마치고 보내드려야겠다고 생각했다.

그런데, 엑스레이 검색대에 앉아 있던 직원이 그의 가방 속에서 이상한 음영이 보인다고 했다. 그럴 리가 없는데. 저렇게 순박해 보이는 사람이, 설마?

그의 가방에서는 소량의 담배만 나왔다. 그럼 그렇지, 무엇을 숨긴 사람이 이렇게 협조적인 태도를 보일 리가 없지. 스스로 찝찝한 게 있는 여행객일수록 비협조적으로 나오는 경우가 많았다. 그저 소지한 가방을 엑스레이 검색대 위에 한 번 더 올리는 것뿐인데도 화를 내며 불만을 표시하거나 소리를 지르고 달아나기도 했다. 대부분 무언가를 밀반입하려는 의도를 가진 이들이다.

오히려 그는 이상할 정도로 단출한 짐을 소지하고 있거니와, 가방을 검색하는 내내 저항한 적도 없었다. 얼른 마무리하고 보내주자는 생각으로 검사를 끝낸 가방을 닫았다. 마지막으로 간략하게 신변검색만 하려고 했다. 그러자 그가 한 발짝 뒷걸음질했다. 나는 속으로 어? 했다.

가까이서 보니 이상하게 땀을 많이 흘리고 있었다. 그는 내가 다가선 만큼 뒤로 걸음을 물리면서 반복적으로 바지를 추켜올렸다. 그가 바지춤을 끌어올리자 옷 바깥으로 하반신의 윤곽

이 조금 드러났다. 그런데, 그게 조금 이상했다. 그의 사타구니가 지나치게…… 뭉툭했다. 마치 기저귀를 찬 것처럼.

종종 담배를 여러 갑으로 나누어 몸에 칭칭 감고 오는 여행객이 있다. 허벅지와 다리에 담배를 감은 채 긴 치마로 가리고 오는 일도 있고 배나 등쪽에 평평하게 담배를 붙이고 패딩 같은 두꺼운 겉옷으로 가려서 오기도 한다. 이런 경우에는 대부분 각진 담뱃갑의 모양 때문에 쉽게 잡히게 마련이다. 이처럼 다양한 방식으로 몸에 붙여온 담배를 아등바등 떼어내는 건, 입국장에서 근무한 사람이라면 누구나 겪는 흔한 일이다.

그러나 그의 하반신은 조금 달랐다. 아무래도 안쪽에 담배를 숨긴 것 같지는 않았다. 정밀 신변검색을 위해 그를 검색실로 안내하고 바지 안쪽을 들추었다. 그는, 빨간 속옷을 입고 있었는데…… 어째선지 군데군데 파란색 물감 같은 게 묻어나왔다.

"선생님, 이 안에 뭐가 있는 건가요."

"비아그라."

이제 그는 포기한 듯 대답하고는, 숨겨 놓았던 비아그라를 제 몸과 가방 이곳저곳에서 꺼내기 시작했다.

그의 속옷 속에서 가장 많은 양의 비아그라가 발견됐다. 도저히 혼자 셀 수 있는 양이 아니었다. 절차에 따라 처리하기 위해서는 정확한 양을 알아야 했다. 거의 전 직원이 달려들어 그가 숨겨 온 비아그라를 세기 시작했다. 종이컵 하나당 200개씩 채워 줄을 세웠다. 가방에 들어 있던 약을 셀 때는 그나마 사정이 좀 나았다. 속옷에 붙었던 약들은 무척, 축축했고…… 따뜻했다.

총 5,670정.

어찌나 많은지 밤을 꼬박 새워서야 겨우 일이 끝났다. 약을 분류하는 데 투입됐던 모두의 손끝이 파랗게 물들었다. 나는 끝끝내 5,670정의 비아그라가 간직하고 있던 그의 온기를 잊을 수 없을 것 같다. 그 순진하고 친절해 보였던 사람이. 이 세상에는 정말 믿을 사람이 하나도 없나 보다.

이건 드라마가 아니에요

슬슬 하루가 마무리되는 분위기였다. 드디어 마지막 비행기였다. 입국장을 지키는 인원 대부분은 다음 날 새벽에 입국할 여행객을 위해 휴식을 취하러 들어갔다. 세관구역에도 열 명 정도의 인원만 남았다. 캐러셀이 돌아가는 소리가 분명히 들릴 정도로 주변이 고요했다.

"한국 약이 듣지를 않아, 이거 못 먹으면 아파 죽는다, 죽어!"

검색대 한쪽이 소란스러웠다. 중국에서 입국한 일가족과 검사직원 사이에 실랑이가 벌어지고 있었다. 마약 성분이 포함된 '거통편'을 포함해서, 중금속 성분이 검출돼 국내 반입이 불가능한 중국산 의약품 등이 할머니의 짐 가방 안에서 발견된 것이다.

아들 내외로 보이는 두 사람은 약 때문에 세관검사에 걸린 일이 처음이 아니라는 듯, 뒤에 멀찍이 서서 바라만 보고 있었다. 아직 검사대를 통과하지 못한 건 이 가족이 유일했다. 직원들은 소란이 끝나고 휴식 시간이 찾아오기만을 바라는 듯, 이쪽을 힐금힐금 쳐다보았다.

"할머니, 이 약은 한국에 들고 가실 수가 없어요."

검사대 직원만으로는 상황이 진정될 기미가 보이지 않자, 이윽고 팀장까지 동원됐다. 규정을 반복해 설명해보았지만 소용이 없었다. 약을 가지고 나가지 못할 걸 짐작이라도 한 것처럼, 할머니의 언성은 계속해서 높아졌다.

그야말로 필사적인 저항이었다. 할머니는 여러 직원에게 둘러싸여 있어도 주눅 들지도 않고, 굽히는 기색도 없었다. 건장한 남자 직원 두엇이 상황을 보다 못해 강하게 나섰다. 하지만 할머니는 호락호락하지 않았다. 오히려 그 남자 직원이 한마디 한 것이 할머니의 성질을 건드리고 만 것 같았다. 부지불식간에, 할머니가 남자 직원의 뺨을 때렸다. 진짜, 풀스윙으로.

지켜보고 있던 사람들 사이에서 헉, 하고 대신 신음이 튀어나올 정도였다. 뺨을 맞은 남자 직원 역시 무척 놀란 모양이었다. 맞은 뺨을 손으로 감싸 쥐고 할머니를 빤히 쳐다보고만 있었다.

아주 잠시, 입국장 안이 일시정지 상태가 되었다. 주변 직원들이 먼저 정신을 차리고 할머니를 붙잡았다. 멀리서 지켜보던 보안직원도 다가왔다. 할머니의 약은 세관에 유치되었다. 보안 직원에 의해 경찰에 인계된 할머니는 공무집행방해죄로 경찰의 조사를 받았다.

"어째 무사히 지나간다 했다, 내가."

얼추 상황이 정리되어 가는 듯하자 검색대로 몰려들었던 직원 중 하나가 농담처럼 말했다. 다른 직원이 고개를 저었다.

"그럴 리가 없지."

그럴 리가 없다니, 왠지 슬프게 들리는 말이었다. 몇몇 이들은 뺨 맞은 직원을 위로해주고 싶은 듯했다.

"그 할머니 말이야. 힘쓰는 것 보니 약은 필요도 없겠던데?"

"모르죠, 뭐. 그 힘이 다 약에서 나오는지."

"중금속에 그런 효과가 있나?"

나를 포함한 모두가 뺨 맞은 직원의 어깨를 두어 번 토닥였다. 그때까지도 그는 좀 얼떨떨해 보였다. 지금 그의 심정이 어떨지, 얼마나 기분이 나쁠지 잘 상상이 가지 않았다. 살면서 누구의 뺨을 때려본 적도, 맞아본 적도 없었으니까. 누가 뺨을 맞는 장면을, 드라마가 아니라 현실에서 목격한 것조차 처음이었다. 아마 거기에 있던 대다수가 나와 비슷한 느낌이었으리라. 직원 몇이 남자 직원을 달래고 있었다. 이따가 퇴근하고 소주 한잔 하러 가자, 하면서.

안 되는 건 안 됩니다

새벽 4시 30분. 입국장 안이 소란스러워지기 시작한다. 가까운 중국, 필리핀, 베트남 등지에서부터 저 멀리 LA에 이르기까지. 그야말로 온갖 곳에서 입국한 수많은 여행객이 공항 안에 들이닥치는 시간이다.

입국장 안에서 마주치는 얼굴들은 정말이지 천태만상이다. 긴 여정 탓에 피로를 느끼는 여행객이 있는가 하면 여행지에서 더할 나위 없는 시간을 보내고 온 모양으로 얼굴에서 좀처럼 웃음기가 가시질 않는 여행객도 있다. 신혼여행을 다녀온 것 같은데, 둘 사이가 냉랭하고 뾰로통한 커플도 눈에 띈다.

그렇게 온갖 표정을 한 여행객들이 세관검사대로 들이닥친다. 이날 내가 처음으로 맞이한 사람은 중국에서 한가득 짐을 싣고 입국한 남성 여행객이었다.

"선생님, 세관신고서와 여권을 보여주시겠어요?"

여행객은 자신의 여권과 세관신고서를 내게 주었다. 나는 입국에 필요한 정보를 빠르게 훑었다. 30대, 조선족, 중국인, 남성. 여행객에게 재차 말을 건넸다.

"선생님, 한국말 하실 줄 아세요?"

"네, 조금요."

나는 고개를 끄덕이며 세관에 신고하실 물품은 없느냐고 물었다. 여행객은 없다고 답했다. 음, 그렇지만 세관원의 의견은 언제나 여행객과는 좀 다를 수가 있다.

"세관에서 검사해야 할 물품이 있네요. 검사표지 붙은 가방하고, 선생님께서 어깨에 메고 계신 가방도 검사대에 올려주시겠어요?"

"무슨 검사를 합니까?"

그때까지만 해도 점잖았던 사람이 뜬금없이 화를 내기 시작했다. 다른 사람은 다 그냥 지나가는데 자신만 검사를 받는 것 같아서인가, 오늘 많이 피곤한가보다, 이해하려고 노력해도 손끝이 바르르 떨리는 건 어쩔 수가 없었다.

"선생님, 침착하시고요. 선생님 가방 속에 저희가 검사해야 하는 물품이 있어요. 열어봐야 합니다. 협조해 주세요."

여행객은 어디 한 번 해보라는 식으로, 팔짱을 낀 채 나의 행동을 훑어보기 시작했다. 가방을 열어 내용물을 하나둘씩 들춰내자, 안쪽에서 봉지에 든 흰색 알약 뭉치가 발견되었다.

"선생님, 이 약은 무슨 약이죠?"

"평소 먹던 진통제인데요. 문제 있습니까?"

그의 어조에 매우 불쾌한 감정이 실려 있었으나, 일은 일이었다. 나는 하던 일을 계속하기로 했다.

"선생님, 이 약은 마약 성분이 들어간 진통제예요. 한국에 반입하실 수가 없습니다. 나라마다 의약품에 허용하는 성분이 달라서, 이건 한국에는 반입이 안 되는 약이에요. 여기 맡겨 두셨다가 출국할 때 가져가셔야 해요."

그는 입국장이 떠나가라 고성을 지르기 시작했다.

"아니, 무슨 진통제 갖고 그러냐! 나 여기서 일하려면 그 약을 먹어야 해. 내놔, 내놔!"

"선생님, 다시 말씀드리지만 이 약에는 마약 성분이 있어요. 한국에는 반입할 수 없는 성분입니다."

여행객은 사정하기 시작했다. 몇 개라도 안 되겠느냐고, 허리가 아파서 꼭 먹어야 한다고 했다.

"한국에서 일합니다. 한국 진통제는 효과가 없어요. 일할 때 너무 아파요. 조금이라도 주세요."

나는 고개를 가로저었다. 규칙은 규칙이고, 안 되는 건 안 되는 거니까. 내게 안 되는 걸 되게 할 재주는 없으니까. 유치증을 받아들고 입국장을 나서는 여행객의 어깨가 어쩐지 축 처진 것 같아 마음이 잠깐 따끔했다.

검사직원으로 지내며 신경 쓰이는 부분 중 하나가 이런 경우다. 타국에서 일하는 것도 힘들 텐데, 강한 진통제까지 먹어야 한다니. 우리나라 아버지, 어머니 세대도 70~80년대엔 다 그렇게 일했다. 각지에 나가서 돈을 벌어다 한국에 있는 가족을 먹이고 입혔다. 그걸 알고 있으니 마음이 더 쓰였다.

요즘은 캄보디아나 라오스 등지에서 한국으로 일하러 오는 젊은 청년들이 많다. 장시간 노동이나 임금 체불, 불법 고용 같은 문제가 해결되지 않고 있다는 뉴스가 종종 나오는데도, 그래도 그들은 한국에 일하러 온다. 마약성 진통제를 먹어가면서도 일을 할 수밖에 없는 사람들이.

유치증을 받아 든 그 중국인 여행객이, 약을 찾아 고국으로 돌아갈 때까지 부디 건강할 수 있기를 바란다.

어느 노신사의 매콤한 세계

매회 자체 최고시청률을 경신했던 드라마 〈부부의 세계〉는 나와 아내 사이에서도 최고의 화젯거리였다. 드라마가 방영되는 날이면 아내와 맥주 한 캔씩 마시며 함께 보는 게 삶의 낙이었다.

그날 밤도 마찬가지였다. 그날 방송분도 역시나 매우 자극적이었다. 주인공이 드디어 자신의 남편이 바람을 피우고 있다는 사실을 알게 되었기 때문이다. 남편이 바람을 피우는 상대는 40대인 주인공이나 그녀의 남편보다 훨씬 어리고 외모가 출중한데다 집안 배경까지 좋았다. 배신감과 복수심에 불타오르던 주인공은 결국 남편의 친구와 잠자리를 함께 하게 된다.

시청률을 높이기 위해 과장된 연출을 택했으리라 짐작하면서도 내심 현실에서도 이런 일이 일어나지 않을까 궁금했다.

아내와 불륜을 소재로 주거니 받거니, 서로 눈을 흘겨 가며 실없고 매콤한 이야기꽃을 피웠다. 우리와는 너무 다른 세계 이야기라는 결론에 다다르고 보니 훌쩍 밤이 깊었다.

"아이고, 죽겠다. 아주 죽겠어."

아침에 눈을 뜨는 일부터가 고역이었다. 부부의 세계는 차치하고, 오늘 업무의 세계만큼은 제발 순한 맛이었으면 싶었다.

한창 수면 부족과 점심 식곤증에 시달리고 있는데, 입국장 선별라인에서 삑삑 알람이 울렸다. 노신사 한 분이 검사대 쪽으로 다가오고 있었다. 카트 위에 비스듬히 세워 올린 검은색 골프백에 세관씰이 매달려 있었다. 골프백에?

책상 위에 올려둔 볼펜을 집어 들고 장딴지를 지그시 찍어 눌렀다. 졸음이 좀 가시는 것 같았다. 비로소 머리가 맑아졌다.

"선생님, 골프백을 검사대에 올려주시겠습니까?"

"허 참, 별일이오. 내가 40년을 이 골프백 들고 외국을 다녔는데. 지금껏 한 번도 걸린 적이 없었거든."

나는 노신사의 골프백에 달린 씰을 떼어냈다. 그제야 세관씰의 알림음이 멎었다. 거기에 화답하듯 노신사가 내게 여권을 척 내밀었다. 여권 정보를 입력해보니 당신 말처럼 입출국 기록이 꽤 많았다. 동행자는 없었다. 은퇴하고 여행을 다니는 분인가, 아무래도 재력가시려나?

"가방 안 좀 확인해 보겠습니다."

"그러시구려. 확인해 보시오."

골프백의 지퍼를 열고 구석구석을 들여다보았다. 바깥쪽 주머니에서 칼 한 자루가 발견됐다. 군용 대검이었다.

"선생님, 여기 도검이 있었네요."

노신사는 처음엔 갸우뚱하더니 이내 주머니에 칼을 넣어둔 걸 기억해 냈다.

"아이고, 참! 참참! 그거 밤 까느라 쓰고서는 넣어둔 것인데. 내가 골프를 치러 다니는데 말이야……."

이어지는 그의 설명은 이랬다. 가을마다 골프를 치러 나가면 필드에 떨어진 밤송이를 주워다가 까먹는 게 또 별미라는 거였다. 당신도 드시고 캐디들도 까주고 하면서 그 칼을 가을 동안 아주 잘 쓰셨다고 했다. 노신사의 설명이 좀 길기는 했어도 이유는 확인된 셈이었다. 이제부터 내가 할 일은 그에게 도검 규정을 안내하고 다음 절차를 밟는 거였다.

"선생님, 이 대검은 날의 길이가 15cm가 넘습니다. 칼날이 서 있고 끝도 날카롭고요. 이런 물건은 흉기로 규정되거든요. 별도의 허가 없이는 국내에 반입하실 수가 없습니다."

"그럼, 벌금을 내면 찾아갈 수 있소? 얼마 주면 되겠소?"

노신사가 재력가라는 나의 상상에 약간의 신뢰가 덧붙었다.

"아니요, 선생님. 허가가 없어서 우선 유치해야 합니다. 세관창고에 보내는 거예요. 일정 기간이 지나면 폐기됩니다."

"뭐어, 폐기?"

노신사가 미간을 잔뜩 찌푸렸다.

"그 칼은 내가 군의관으로 복무하고 전역하면서 선물 받은 기념품이오. 다시 살 수 있는 물건이 아닌데."

그는 슬퍼하고 있었다. 아, 군대. 그와 나 사이에 급격한 공감대가 형성되려고 했다.

기억 속의 나는 유격 훈련을 받고 있다. 군용 대검을 착검하고 기둥에 매달린 타이어를 죽어라 찔러댔다. 논산 훈련소에서 눈물로 나를 배웅하고는 고작 편지 세 통 만에 감쪽같이 증발한 '그녀'를 떠올리면서. 당장은 아무것도 할 수 있는 게 없다는 사실이 나를 무척 절망하게 했다. 눈물인지 땀인지, 아무튼 흥건해서 눈가가 따끔따끔했다. 그녀와 헤어졌기 때문에 지금의 천사 같은 아내와 만날 수 있었던 거지만! 그래도!

노신사가 문득 털어놓았다.

"골프 클럽 캐디들은 다들 나를 군용 대검 선생님이라고 부르지요. 그게 내 별명인 셈인데, 보통 두어 개쯤 까주면 항상 더 까달라고 부탁을 하거든. 나도 더 주고 싶다만 그랬다가는 마누라가 삐쳐버려서 아주 곤란해."

그는 잠깐 허허 웃었다.

"근데 이걸 뺏기면 이제 그 재미도 덜해지겠구먼, 참."

지금 상황에서는 결론이 정해져 있었다. 내가 노신사에게 해

줄 수 있는 건 유치증을 발급해주는 일뿐이었다. 그런데도 나는 어느 순간부터 노신사가 수입 허가를 받아 군용 대검을 찾아가기를 바라고 있었다. 시간과 비용이 많이 들기는 하지만, 정식 수입 신고를 한다면 유치된 도검을 찾을 수 있을 거였다.

"선생님, 여기 안내문을 드리겠습니다. 아까 말씀드린 내용 외에도 도검에 관한 자세한 사항이 들어 있습니다. 관할 지방경찰청에 연락해서, 허가를 받으시면 국내 반입도 가능합니다."

노신사는 건네받은 안내문을 곱게 접었다.

"고맙소. 일단 집에 가서 생각해보리다."

노신사는 골프백 바깥쪽 주머니에 군용 대검 대신 유치증과 안내문을 챙겨 넣었다. 나는 카트에 다시 골프백을 싣고 검색대를 천천히 빠져나가는 '군용 대검 선생님'을 물끄러미 바라보았다.

그러다가 그만 깜짝 놀랄 일이 생겼다.

저만치 입국장 출구 바로 앞에 웬 여자 하나가 그를 기다리고 있었다. 동행자 정보가 없었으니, 분명 마중을 나온 걸 텐데. 삼십 대 초반에서 중반 정도로밖엔 보이지 않는 젊은 여성이었다. 그녀가 다가오는 군용 대검 선생님의 팔짱을 와락 꼈다. 그러고는 귓속말을 두어 마디 건넸다.

어, 어어?

문득 전날 보았던 드라마가 머릿속을 스쳐 지나갔다. 공항에서 하도 사랑과 전쟁, 부부의 세계 같은 현실을 접해서 그런가. 에이 아니겠지, 아니겠지 하면서도 머릿속에서 자꾸만 아내와 함께 보았던 〈부부의 세계〉 마지막 장면이 재생되었다.

Episode 01

Episode 02

Episode 03

Episode 04

Episode 05

Episode 06

Episode 07

Episode 08

Episode 10

우리들 이야기

전쟁터에서도 설렐 수 있나요?

- 부부 세관공무원이 많은 이유

"이봐요, 저 사람들은 다 지나가잖아! 왜 나만 검사해? 지금 사람 차별하는 거야?"

입국장이 떠나가라 만민평등주의를 표방하던 여행객은 마지막 순간까지 소란스러웠다.

"어이 아가씨, 내가 말했잖아. 신고할 거 없다고 했잖아! 아무것도 안 나오면 전부 책임질 거야?"

아줌마라고는 안 하니 감사한 일이지만 아가씨나 아줌마나 상대를 만만히 보지 않고는 뱉을 수 없는 호칭이다. 체구가 작은 편인 나는 이골이 날 정도로 자주 들은 말이다.

"한 번만 좀 봐주세요. 네? 아씨! 야, 야!"

이런 반응은 매번 놀랍다. 데시벨을 최고치로 갑자기 올리는데다가 더러는 공손과 불손 사이를 오가는 변검술을 옵션으로 장착한 여행객도 있다.

"누나, 괜찮아요?"

맞은편 65번 검사대에서 K가 급하게 달려왔다. 그는 나보다 6년 늦게 입사한 4살 어린 후배다.

"K씨. 업무 시간에는 누나라고 하지 말랬지?"

나는 그를 노려보았다. 업무 후폭풍이라고 해야 할까, 여전히 독이 잔뜩 오른 상태였다. 그는 잠시 흠칫했다가 이내 장난기 가득한 표정으로 웃었다.

"에이, 누나. 이제 정리만 하면 오늘 업무도 끝이잖아요. 괜찮아요? 아까 그 아저씨 소리 지를 때 도와주고 싶었는데, 나도 검사 있어서 못 왔어요."

"됐어, 나 하나 당하면 됐지."

"근데 진상 여행객이 왜 다 누나한테만 붙지, 역시 누나는 진상 청소기라니까요?"

"그래, 고오맙다. 아주 그냥 힘이 난다, 힘이."

진상 청소기라니, 그의 말이 맞는지도 모른다. 매사 엉뚱한 소리를 잘하는 그가 나에게 '진상 청소기'라는 별명을 지어준 것이 약 석 달 전의 일이다. 나는 진상 여행자를 정말 자주 만난다. 지금도 물론 그 별명에 착실히 부응하고 있고.

"일할 때마다 항상 그 정도면, 이제 어지간한 진상은 아무렇지도 않겠어. 그냥 다 청소기처럼 쓸어버리라고!"

C 팀장은 허허거리며 농담 반 진담 반으로 말했다. 매번 영혼이 갉아 먹히는 사람 입장은 생각도 안 하고. 특히 오늘은…… 진상을 연달아 3명이나 상대했다. 10년 차 공무원인 내게도 가혹한 하루였다.

어딘가에서 '누구나 할 수 있다! 진상의 기술!' 따위의 책이라도 파는 걸까? 내 말을 듣고 그는 휴대폰을 열심히 두드리기 시작했다. 요새는 독립출판도 많이 한다면서, 세상에 없는 책은 없다고 했다. 나는 좀 어이가 없었다. 어쨌든 K의 능청을 상대하고 있자니까 나도 웃음이 났다. 그는 사뭇 진지하게 말했다.

"일종의 처세술 아닐까요?"

나는 느리게 고개를 끄덕였다. 상대에게 원하는 반응을 끌어내기 위한 전략의 일종이라는 점에선 그의 말이 맞았다. 그렇지만 여행자가 면전에서 갑자기 고함을 지르기라도 하면, 당하는 사람 입장으로는 영혼이 조금씩 부서지는 기분이다. 차라리 일을 좀 더 하는 편이 기분 전환에 도움 되려나?

"K씨. 내가 정리할 테니까 먼저 쉬러 가. 대신 저번처럼 지각하면 가만 안 둬."

나는 오늘 치 검사 서류를 그러모아 검사 순서에 맞도록 정리하기 시작했다. K가 다가왔다. 먼저 들어가랬는데도 말을 참 안 듣는다. 그는 검사대에 흩어져 있던 볼펜과 커터칼을 챙겨서 문구함에 넣었다. 그러고는 은근슬쩍 묻는다.

"아까 그 담배 다섯 보루 들고 온 아저씨 때문에 그래요? 누나가 실수한 것도 없는데, 그냥 잊어버려요. 하나하나 다 생각하면 건강에 안 좋아요."

"아아, 네에. 그러시는 너는 하나하나 겪어 보기나 하셨어요?"

K는 키가 2m에 가까웠다. 입사 동기 중에서도 최고로 덩치가 큰데다가 자타공인 스포츠맨이었다. 그가 전화를 안 받는다면 두 가지 이유 중 하나다. 공원에서 공을 차고 있거나 헬스장에서 땀을 빼고 있거나. 그렇다 보니 K의 앞에서 언성을 높이는 여행객은 무척 희귀했다. 우락부락하고 시커먼 그를 처음 봤을 때는 나도 좀 무서웠으니까.

"와. 말 진짜 섭섭하게 하신다."

K는 과장되게 어깨를 축 늘어뜨렸다. 그만 웃음이 났다. 사실 나는 알고 있다. 내가 진상 청소기로서 톡톡한 성과를 내고 있으면, 그가 슬쩍 내 옆에 다가와 서 있기도 한다는 걸.

"P씨, 나 때는 말이야."

C 팀장이 불쑥 대화를 비집고 들어왔다. 아이고, 우리 C 팀장께서 또 시작이다. 그놈의 라떼. 불쑥 두통이 밀려오는 것 같았다.

"나 때는, 아까 P씨한테 소리 지른 여행자 정도는 아주 그냥 양반이었어. 요새 인터넷이 잘 되어 있잖아?"

인터넷과 진상이 무슨 상관이라는 말인가.

"사람들이 뭘 신고해야 하는지 다 알아보고 찾아오잖아. 신고 안 하면 가산세 나오는 것도 알고. 나 때는, 아이고, 말도 말아야지. 세금의 '세' 소리만 나와도 다짜고짜 캐리어부터 집어 던졌다니깐."

C 팀장의 라떼는 도무지 식을 줄을 몰랐다.

"근데 P씨, 내가 볼 때는 목소리가 좀 작은 것 같아. 여행자를 대할 때는 말이야, 따악! 전쟁 나간다는 마음으로, 응? 이렇게, 이렇게 힘을 배에 빡 주고 말해야지. 기선제압을 아주 그냥 딱!"

C 팀장은 나와 K의 대화에 곧잘 끼어 열 마디씩 거들곤 했다. 모두 같은 팀이기도 하거니와, 같은 날에 입국장으로 발령받아 동질감을 느끼고 있는 듯했다. K는 C 팀장이 연설을 다 끝내고 멀찍이 가버릴 때까지 기다렸다가, 근처로 다가와 속삭였다.

"누나, 저는 진상보다 C 팀장님이 더 무서워요."

K의 말에 속절없이 웃음이 터졌다.

"이제 좀 기분이 풀렸나 보네! 아까 누나 표정 진짜 장난 아니었어요. 다행이네."

어느새 입국장 안의 모든 캐러셀이 정지했다. 더는 아무도 오지 않을 것처럼 고요했다.

"실은 말이지, 낮에 아는 사람을 봤어. 신고하러 왔더라고."

“어? 그래요? 누나가 누구 붙들고 오래 얘기하는 건 못 봤는데.”

“그게, 예전에 사귀던 사람이어서.”

K의 눈이 동그래졌다.

“에엑, 그래요? 누나가 직접 검사했어요? 어떻게 했어요?”

“아…… 아니, 니가 검사했어. 아까 뭐 물어보려고 갔다가 아주 식겁했다니까. G사 물건으로 캐리어 꽉 채워왔던 사람, 기억나?”

“아, 아아! 근데 신혼부부 같던데요? 누나, 설마 아직도 못 잊었어요? 그 사람?”

무슨 오해를 하는 건지. K는 거기서 그치지 않았다. 남자는 남자다워야 남자라느니, 그렇게 기생오라비처럼 생기면 꼭 뒤탈이 난다느니 쫑알쫑알 시끄러웠다. 뭐, 좀 귀여운 것 같기도 하고.

“아니라고! 그냥 기분이 좀 이상하더라는 얘기야. 여기 입사하기 전에는 공항만 오면 설렜는데, 그게 그 사람하고 사귀던 시절에 딱 그랬더라고.”

“그리고 지금은 허구한 날 진상 청소기 노릇이나 하고 말이죠?”

“그래, 딱 그거야. 근데 너는 말 좀 가려서 해라?”

K가 히죽 웃었다.

“그래도 지금은 전우가 있잖아요, 전우! 나!”

그래, 나는 천천히 고개를 끄덕거렸다. 기생오라비 같은 예전 남자친구는 가고 전우가 남았구나. 기분이 나쁘지 않았다. 나는 야, 하고 K의 어깨를 툭 쳤다.

“퇴근하고 순댓국 먹으러 갈래?”

K는 웃으며 좋다고 했다. 순댓국이라니 너무 낭만이 없나 싶었는데 그가 순댓국을 먹고 드라이브도 가자고 했다. 전부터 영종도 마시안 해변이 궁금했다면서. 흠. 어쩌면 내게 인천공항이 다시 설레는 장소가 될지도 모르겠다는 예감이 들었다.

덤앤더머 아니고 멘토멘티

0개 국어 능통자 K 반장님은, 0개 국어 능통자이면서도 한국어와 보디랭귀지를 활용해 모든 국적의 사람을 응대하는 일에 몹시 능숙하다. 발령 전에는 입국장에서 일하는 모든 사람이 외국어에 능통한 줄 알았기에, K 반장님의 존재는 내게 신선하다 못해 시원하기까지 했다.

"헤이, 헤이! 컴컴! 이쪽으로 나가시면 됩니다! 선생님, 헤이!"

미국인이든 베트남인이든, 영어도 중국어도 모르는 사람이든 상관없다. 다들 신통하게 K 반장님의 말을 알아듣고 땡큐, 땡큐 했다. 언어는 자신감이라고들 하는데, K 반장님이 일하는 모습을 보면 그 말이 꼭 맞다.

그는 여러모로 재능이 많은 사람이다. 이런 분을 시쳇말로는 '츤데레'* 라 하는데, 그는 아닌 척 새침을 떨면서도 사람을 참 잘 챙겼다. 부하직원들에게 햄버거니 아이스크림이니 지갑을 툭툭 열어 돌리는 것도 항상 K 반장님이다.

하루는 반장님이 나를 포함한 새내기 4명에게 수습을 뗀 기념으로 점심을 사겠다고 했다. 우리는 모두 신이 나서 약속 날짜를 잡았다. 그런데 웬걸, 하필 밥을 얻어먹기로 약속한 날이 되자 일정이 다 꼬여버렸다. 어떤 동기는 타부서에 지원을 나갔고 어떤 동기는 급한 약속이 잡혔다. 홀로 남은 내가 눈치를 살피다 K 반장님께 조심스럽게 사실을 알렸다.

"괜찮으시다면, 약속을 다음으로 미룰까요?"

그날 K 반장님은 어느 때보다도 밝게 웃었다. 조금쯤은 섭섭한 내색을 할 법도 한데, 밥값이 굳어 기쁘다는 걸 그리 대놓고 표현하실 건 뭐람.

K 반장님에 관해서는 입사 첫날부터 추억이 좀 있는 편이다. 처음 출근한 날인 만큼 사무실에서 일하는 직원에게 인사를 하러 다녔는데, 선한 인상의 누군가가 검사대에서 벌떡 일어나 악수를 청했다.

"인천세관에 멘토링 사업 있는 거 알죠? 멘티님 멘토는 저예요. 앞으로 잘 지내봅시다."

* '츤데레': 쌀쌀맞고 인정이 없어 보이나, 실제로는 따뜻하고 다정한 사람.

K 반장님은 나와 같은 '삐약이' 직원에게 선배 멘토가 한 명씩 지정된다고 했다. 입국장 업무가 고된 편이라, 새내기를 반갑게 맞아주는 선배가 많지 않았다. 새내기에겐 K 반장님의 환대가 그저 감사할 뿐이어서, 나는 고개를 연신 끄덕거렸다.

"반장님, 우리 업무에서 가장 중요한 일은 뭔가요?"

K 반장님과 멘토랑 멘티로 인연도 맺었겠다, 나는 궁금한 게 생기면 그에게 달려가 이것저것 가리지 않고 물었다. 그는 내 질문은 듣고 종종 당황하고는 했는데, 이번에도 그런 모양이었다. 눈썹을 씰룩이거나 입을 달싹이면서 꽤 오래도록 고민했다. 마침내 그가 답했다.

"똥 참기요."

그의 표정이 사뭇 진지했다.

"아, 진짜요?"

그는 컴퓨터 화면에서 눈을 떼지 않은 채 말을 이었다.

"우리 업무는 못 참으면 안 돼요. 놓쳐요. 망해요."

여행자 감시 데스크는 입국장 전반의 흐름을 보며 상황에 따라 빠른 판단을 해야 하는 곳이었다. 거기서 제일 중요한 역량이, 뭐라고요? 똥 참기라고요?

생각해보면, K 반장님 말에도 일리가 있었다. 세관통로는 거의 언제나 여행객으로 붐비는 장소다. 각각의 여행객에게는 저마다의 사정과 이야기와 핑계가 있고 신고할 물건이 있거나 검역을 거쳐야 하는 등 각각의 여행객에게 필요한 절차도 다르다.

그런데 공항은 각각의 사정을 가진 '많은' 여행객을 상대해야 한다. 동선이 꼬이게 마련이다. 쉽게 말해 여행자 감시 데스크는 세관통로를 넓게 보고 교통정리를 하는 자리다. 업무 매뉴얼에는 없지만, 누군가 보험 약관만큼이나 아주 작은 크기의 글씨로라도 적어 넣어야 하는 게 아닐까. 인천 세관에서 똥 참기는 상상 이상으로 중요할 수 있습니다, 라고.

여기까지만 이야기하면 K 반장님이 허허실실, 물렁한 사람이라 세관원으로는 어울리지 않을 것 같다고 생각하는 사람도 있을 것이다. 고백하건대 나 역시 그를 동네 삼촌 정도의 이미지를 가진 사람으로 여겼는데, 최근에 마음을 좀 고쳐먹었다.

근래 검색대에서 담배 대량반입으로 통고처분을 받은 여행객이 있었다. K 반장님은 눈빛부터 달라졌다. 동행을 철저히 체크하고 신고되지 않은 다른 상용물품이 있는지도 척척 챙겼다.

문제가 된 여행객에게 통고처분 절차에 관해 설명하는 모습을 볼 때는, 저 사람이 내가 알던 0개 국어 능통자가 맞는지 의심스럽기까지 했다. 유치품을 포장하는 능숙한 손놀림을 보면 감탄이 절로 나왔다. 동기들과 종종 K 반장님을 두고 꾸러기 삼촌 같다고 말하곤 했는데, 삼촌은 남기더라도 꾸러기는 빼야 할 것 같았다.

나는 '인향만리'라는 표현을 참 좋아한다. '사람의 향기는 만리를 간다.'는 의미인데 하필 똥 참기에 대해 길게 이야기하고서 K 반장님의 향기에 관해 이야기하려니 안됐지만, 그는 무척 향기롭고 따뜻한 사람이다. 직원 모두가 그의 향기를 좋아할 만큼.

K 반장님은 매일 아침 나와 동기들에게 꼭 한마디씩을 얹는다. 무슨 일 생기면 전화하라는 격려도 있고 잘할 수 있다는 응원도 있는데, 그가 우리에게 남긴 다정이 쌓여 거름이 되었다는 생각이 든다. 그러니까, 얘기가 자꾸 똥으로 빠져서 참 안됐지만 말이다. 나와 동기들은 K 반장님 아래서 큰 나무가 될 준비를 하고 있다.

K 반장님처럼 똥 참기 달인이 되는 날이 오기를 바라며, 또 흔쾌히 본인의 이야기를 글로 쓰는 것을 허락한 반장님에게도 진심으로 감사를 전한다.

인천공항 이상향異常香 월드컵

인천국제공항을 대표하는 세 가지 향기가 있다. 인천공항 세관원이라면 누구나 공감할 만큼 강렬한 향이다. 무엇을 가장 강렬한 향으로 꼽을지는 각자 취향에 따라 다르겠지만, 누구에게 물어도 내가 말하는 세 가지 중에서 하나를 꼽으리라는 것만큼은 확신할 수 있다.

첫 번째 향기는 24시간 야간근무가 막바지에 도달했음을 알려준다. 동남아 N국에서, 향기를 담고 오는 비행기는 언제나 아침 퇴근 시간이 얼마 남지 않았을 때 도착한다.

거기서 온 보따리상이 주로 가져오는 물품 중에 향채라는 식물이 있다. 이름 그대로 향이 나는 채소라는 뜻인데, 쌀국수에 들어가는 고수와 비슷한 향신료다. 고수도 우리나라에서는 꽤 호불호가 갈리는 식자재지만 이 향채의 향기는 고수를 훨씬 능가한다. 왜, 유명한 광고 문구도 있지 않은가. 고수가 그냥 커피라면 향채는 티오피다.

그런데 N국의 보따리상은 하나같이 힘이 장사다. 향채를 가져올 때 소량으로 들고 오는 법이 없다. 적게는 40kg, 많게는 100kg 이상도 가져온다. 이 정도 분량은 당연히 개인 소비용으로 인정할 수 없어서 유치하게 되는데, 새내기 세관원들이 주의해야 할 부분은 여기서부터다.

먼저 가장 큰 사이즈의 유치 봉투가 필요하다. 대충 김장할 때 쓰는 봉투만큼 큰 용량인데, 이걸 펼쳐놓고 나서는 반드시 호흡을 가다듬어야 한다. 그러지 않고 무작정 달려들었다가는 들숨과 함께 들이켠 낯선 향기에 그대로 고꾸라지고 말 수도 있으니까.

향채가 밀폐된 가방 속에서 저들끼리 한데 뭉쳐 있었다는 사실도 잊어서는 안 된다. 5시간이 넘는 비행시간 동안 나름의 숙성을 거쳤다는 얘기다. 좁고 습하고 따끈한 보따리 속에 고여 있던 향기가 그걸 풀어헤친 세관원의 제복에 스며들기까지는 그리 오랜 시간이 걸리지 않는다.

향채를 유치창고로 보내고 한숨 돌려도 몸에 밴 향채 향은 남는다. 그러니 부디 조심해야 한다. 지금부터 향채 향의 새로운 숙주는 바로 당신이니까.

두 번째 향기는 아침 출근과 함께 온다. 만일 당신이 이 향기를 맡았다면 출근한 지 얼마 되지 않았다는 이야기다. 이때 검색대는 U국에서 날아온 보따리상들의 차지다. 과거 동서양의 길목이자 실크로드의 중심이었던 곳. 대표적인 교역 물품이 비단이었기에 실크로드라 불리지만 향신료의 거래량 또한 만만찮았다고 한다. U국의 보따리상은 다양한 식료품을 가져오기로 유명하다. 한국에서는 대부분 접할 일이 없는 재료들인 만큼, 익숙지 않은 다채로운 향기가 검색대 이곳저곳을 채운다.

이들이 거의 필수적으로 챙겨오는 식품 중에 '난'이라는 이름의 빵이 있다. 황톳빛 윤기 나는 이 빵은 자동차 핸들만큼 크고 동그랗다. 보통 한 번에 6개에서 8개 이상, 묶음으로 챙겨오는데 빵 하나의 무게가 2kg에 가깝다.

때때로 이 빵은 세관검사를 녹록지 않게 한다. 빵의 가운데가 움푹 들어간 탓이다. 보따리상들은 공간을 아끼기 위해 빵과 빵 사이에 갖가지 물건을 쏙쏙 끼워 넣는다. 난 특유의 향에 상상을 초월하는 갖가지 물건들이 어우러져 말로 설명하기 힘든 향기를 풍긴다.

어느 날은 난에서 신발이 나왔다. 믿을 수가 없었다. 빵에서 신발이 나왔다! 그것도 사람이 착용한 흔적이 역력한, 잔뜩 해진 신발이었다.

어느 날은 담배가 나왔다. 아무리 포장이 되어있다 한들 담배는 포장지에도 담뱃잎 냄새가 배기 마련이다. 피우는 담배가 아니라 씹는담배를 끼워오기도 한다. U국에서 만드는 씹는담배는 작은 비비탄 총알처럼 생겼는데, 무척 개성 강한 냄새가 난다. U국에서 온 보따리상들을 상대하고 나면 머리가 어지러울 때가 많다. 오전 내내 코로 담배를 꼭꼭 씹은 것처럼.

세 번째 향기는 딱히 업무 시간과는 관계없이, 부지불식간에 도착한다. C국의 취두부 향다. 대부분 유리병에 담겨 들여오기 때문에 평소에는 존재감이 없지만, 병이 조금 깨진 채로…… 입국장에 도착하는 경우가 있다. 이러면 정말, 정말로 큰일이 난다.

한번은 이런 일이 있었다. 선별라인에서 세관신고서를 받고 있는데 지독한 방귀 냄새가 났다. 처음에는 속이 안 좋은 누군가 실례했으려니 했다. 그런데 아무리 시간이 흘러도 냄새가 절대 흐려지지 않았다. 누군가 규칙적으로 계속해서 속이 좋지 않은 이상 절대 있을 수 없는 일이었다.

근처 직원에게 어떻게 된 일인지를 묻자, 엑스레이 검사대 근처에서 사고가 있었다는 대답이 돌아왔다. 캐리어 안 취두부가 담긴 유리병이 깨졌던 거다. 검사과정에서 취두부가 검사대에 조금, 정말 조금 흘렀다고 했다. 그런데 그 냄새가 엑스레이 검사대를 점령하고 급기야는 내가 있던 선별라인까지 넘어온 거였다. 이렇게 멀리까지!

그런데 상황은 여기에서 그치지 않았다. 여행객들이 자꾸만 나를 아래위로 훑어보았다. 왜인가, 하다가 헉, 나도 모르게 숨을 들이켰다. 여행객들이, 나를 의심하고 있는 거다!

"어우, 뭐야. 이거."

낮게 중얼거리며 나를 흘깃거리는 사람도 있었다. 몇 번이고 말하고 싶었다. 저 아니에요. 나 아니란 말이에요. 내가 싼 것도 뀐 것도 아니라고요. 나 아니고 취두부가 그랬단 말이에요…….

하지만 여행객에게 항변할 틈 같은 건 없었다. 다들 세관신고서를 제출하고 썰물처럼 빠져나가기에 바빴으니까. 빠지지 않고 쌓이는 건 내 억울함과 취두부 향기뿐.

선별라인이 아니라 검사 업무를 담당했던 날에도 비슷한 일을 겪었다. 세관검사를 하다가 검사대 벨트 위에 취두부를 조금 흘리고 말았는데, 한참 뒤처리를 하고서 세관 신고를 하러 온 여행객 한 분을 맞았다.

"신고하실 물품이 있나요?"

인사를 하는데, 그 여행객의 표정과 눈빛이 낯설지 않았다. 나는 이번에도 의심받고 있었다. 하지만 지금은 그때와는 달랐다. 세관신고서를 받을 때랑은 달리 여기는 검사대니까! 설명할 시간이 충분하다!

"취두부가 검사대에 좀 흘렀어요. 냄새가 나네요."

"아아, 네에. 그렇군요."

여행객은 온화하게 웃으며 답했다. 그런데 그게, 그분의 온화함이 주는 느낌이라는 게 마치…… 생리현상이니 다 이해한다며 다독이는 것 같은 느낌이었다.

"저 진짜 아니에요."

여행자는 아무 대답도 하지 않고 그저 미소만 지었다. 아니, 진짠데. 진짜 나 아닌데. 문득 이 글을 읽는 사람들도 나를 의심할 것 같다는 생각이 든다. 진짜, 진짜 저 아니에요.

낯선 소리의 정체

"J씨 오늘 불침번이네?"

"네, 처음이라 좀 걱정됩니다."

나는 퇴근을 앞둔 직원들에게 순순히 털어놓았다. 그러나 덩치가 곰에 필적하는 남자 직원이, 긴장하다 못해 식은땀까지 흘리고 있으리라 짐작하는 사람은 아무도 없는 것 같았다.

"저번 주에 갑자기 캐러셀이 돌아가서 깜짝 놀랐잖아요."

앞서 불침번을 섰던 여자 직원 하나가 말했다. 아, 제발 하지 마. 그런 얘기는 진짜 하지 마. 나는 속으로만 빌었다.

"에이, J씨는 남자잖아. 남자가 무서울 게 뭐가 있어."

무서운 거 있어요. 있다고요. 진짜 무섭단 말이에요.

내가 마지막으로 극장에서 본 공포영화를 꼽으려면 학창 시절까지 거슬러 올라가야 한다. 스마트폰도 없고 인터넷도 흔치 않던 시절이었다. 친구 말만 믿고 영화관에 따라나선 게 패착이었다. 공포영화인 줄 알았다면 절대로 선택하지 않았을 텐데. 〈주온〉은 눈물이 날 정도로 무서운 영화였다. 나는 한동안 친구들의 놀림에 시달렸다.

"그렇죠."

그냥 무섭다고 말을 하면 좋았을 걸, 나는 내 대답이 부디 무심해 보이기를 바라면서 거짓말을 했다. 다른 동기들도 아무렇지 않게 불침번을 섰는데, 단지 무섭다는 이유로 해야 할 일을 내팽개칠 수는 없었다.

"잘 지키고 있어."

"J씨, 눈만 똑바로 뜨고 있으면 돼요."

"네, 아침에 뵙겠습니다."

인사를 건네는 직원들을 출입문 앞까지 배웅하고 나자, 정말로 혼자가 되었다. 낮에는 여행객으로 붐비던 입국장에 개미 한 마리도 보이지 않는다는 게 조금 신기했고 동시에 아주 많이 무서웠다.

입국장 불침번을 서기가 이토록 두려워진 건, 실은 사수의 탓이었다. 그는 가끔 나와 동기들을 앉혀놓고 무서운 이야기를 해줬다. 입사 1년 차 직원에게 사수의 말은 하늘과 같다. 그러니 무섭다는 이유로 슬슬 피하기도 어려웠다.

아무도 없는 입국장을 순찰하다 어떤 여성의 흐느낌을 들었다거나, 평소에는 멈춰 있다가 사람을 인지해야 움직이는 에스컬레이터가 갑자기 작동했다거나…… 믿기 힘든 이야기였지만, 하필 사수는 말솜씨도 좋았다. 그가 말하면 어쩐지 그럴듯했다.

그렇지만 그때 함께 무서운 이야기를 들었던 동기들은 다 아무렇지 않게 불침번을 섰다. 이제 내 차례가 왔는데, 무섭다는 말을 어떻게 꺼낼 수가 있단 말인가.

나는 가족과 친구들이 내게 해줬던 이야기를 상기하려고 애썼다. 귀신이 왔다가도 내 얼굴을 보면 바로 도망갈 거라고들 했다. 물론, 그 부분은 나도 동의하는 바다. 가끔 거울에 비친 내 얼굴을 보고 나조차도 깜짝 놀랄 때가 있으니까. 그래도 무서운 건 여전히 무서운 거지만, 귀신 쪽에서도 분명 나를 무서워할 거라고 생각하면서 애써 마음을 다잡았다.

입국장에는 1번부터 23번까지 수하물을 찾는 캐러셀이 있다. 오늘 내가 순찰을 맡은 곳은 12번부터 23번까지다. 새벽 시간대에는 사용되지 않는 구역이었지만 여전히 입국장 안은 환하게 불이 밝혀져 있었다. 여행객이 이용하지 않을 뿐, 나 말고도 다른 기관 직원이 여럿 상주해 있는 곳이기도 했다.

"괜찮아. 안전해! 아무것도 없고! 귀신도 없고!"

한 차례 순찰을 마치고 사무실에 돌아와 앉았다. 캐러셀이나 에스컬레이터가 갑자기 작동하는 따위의 일도 일어나지 않았다. 나는 하품을 하며 슬쩍 시계를 보았다. 아무래도 입국장은 사방이 막힌 구역이 많다 보니, 시간 감각이 좀 둔해지는 것 같았다. 이번만 해도 한참 시간이 흐른 것 같은데 새벽 두 시밖에 되질 않았다.

"조금만 쉬었다가 다시 나가야지."

듣는 사람도 없는데 변명처럼 중얼거린 순간이었다. 어디서 이상한 소리가 들렸다. 너무 작은 소리라 정체를 분간할 수 없었다. 나는 조심히 자리에서 일어나 소리가 나는 방향을 찾아 발을 내디뎠다. 머릿속에서 사수가 해준 이야기가 자꾸만 재생됐다.

"불침번 서다가 어떤 여자가 흐느끼는 소리를 들었다는 거야."

일껏 두려움을 누르고 괴상한 소리의 진원지를 찾아 꽤 오래 걸었다. 아무래도 푹푹, 하는 소리를 내면서 우는 사람은 없을 테니 누군가 흐느끼는 소리는 아닌 것 같았다.

푹푹, 푹.

이제 소리는 꽤 근처에서 들렸다. 대관절 이게 무슨 소리인가. 분별할 수 없으니 어쩐지 더 무서웠다. 고개를 좌우로 돌리며 주위를 살폈지만 어디서 나는 소리인지 찾을 수가 없었다. 입국장에 정말 귀신이 사나, 등에 한줄기 식은땀이 흘러내렸다.

"누구 있어요?"

목소리가 덜덜 떨렸다. 대답은 돌아오지 않았다.

푹, 푹푹. 푹.

소리는 일정한 형태였고 간격은 불규칙했다. 원인을 찾을 수가 없으니 두려움은 점점 커져만 갔다. 그러다 갑자기, 푹푹, 하는 소리가 매우 가깝게 들렸다.

푹푹.

등 뒤에서.

나는 으악, 비명을 지르며 뒤도 돌아보지 않고 그대로 내달렸다. 14번 캐러셀에서 출발해 19번 캐러셀까지 내처 뛰었다.

"뭐야, 무슨 일이에요?"

다른 기관 직원들이 내가 지른 비명을 듣고 달려 나올 때까지 뛰었다. 갑자기 몸을 움직인 터라 숨이 부족했다. 나는 허리를 굽힌 채 헐떡거리면서, 14번 캐러셀 방향을 가리켰다.

"저기, 저기에. 이상한…… 이상한 게."

간신히 대답했다. 직원들이 가리킨 쪽을 향해 다가가 주위를 둘러보았다. 누군가 외쳤다.

"어? 새다!"

"어어, 진짜네. 새가 여길 어떻게 들어왔지?"

내가 서 있던 곳 바로 위의 천장에서 새가 날고 있었다. 밖으로 나가는 길을 찾지 못해 배회하던 모양이었다. 그제야 소리가 제대로 들렸다. '푹푹'이 아니라 '푸드득'이었던 거다. 긴장이 풀리자 잊고 있던 부끄러움이 찾아왔다.

"소란을 피워서 정말 죄송합니다."

"아이고, 그럴 수도 있죠."

"저도 처음에는 화장실 가는 길도 무섭더라고요."

다행히 그들은 나를 비웃거나 화내지 않았다. 무척 친절한 분들이었다.

우리는 관련 기관에 연락해 입국장에 새가 들어왔다고 알렸다. 어떻게 들어왔는지는 여전히 미스터리였지만, 나는 이미 지쳐있었고 더는 아무 생각도 하고 싶지 않았다.

"J씨, 밤새 고생했네."

이윽고 아침이 밝았는데, 아침에 만나는 직원들의 얼굴이 그렇게 반가울 수가 없었다. 입가에 환한 웃음이 절로 걸렸다.

"아무 일도 없었죠?"

나는 고개를 끄덕였다. 부서장에게 입국장에 새가 들어와 기관에 연락해 새를 포획했다고 말했다. 딱 사실만 알렸다. 그걸 알기까지 내가 얼마나 무서웠고 실제로 얼마나 크게 비명을 질렀는지, 그런…… 자세한 사실은 비밀에 부치는 편이 나을 것 같았다.

남자가 자존심이 있지, 뭐 그런 생각을 했다. 그렇지만 생각해보면 귀신이 무서운 것과 내가 남자인 것과 나의 자존심 사이에 대체 무슨 관련이 있느냐 말이다. 이제 나는 당당히 말할 수 있다. 저는 귀신이 무섭습니다.

사라진 영웅들

텔레비전에는 가끔 영웅 이야기가 나온다. 도움이 필요한 사람 앞에 불쑥불쑥 나타나는 평범한 영웅들. 갑작스러운 사고로 자동차 밑에 깔린 사람을 발견한 행인들이 다 같이 힘을 합쳐 차를 들어 올렸다거나, 브레이크가 풀려 언덕길을 구르는 유치원 통학 차량을 발견하고 차 앞을 막아선 고등학생들이라거나.

유난히 춥던 저번 겨울에는 그런 종류의 영웅을 실제로 목격했다.

입국장의 일상은 어느 때고 비슷비슷한데, 안타깝게도 그날은 작은 비극이 있었다. 업무가 한창일 때였다. 입국장 어딘가에서 갑자기 쿵, 하는 소리가 들리고는 누군가 울부짖었다. 그렇게 슬픈 울음을 들은 건 처음이었다.

직원들이 전부 뛰어가 무슨 일인지 확인했다. 비명을 지르며 울음을 터트린 여행자에게 물으니, 동행이 갑자기 쓰러졌다고 했다. 고꾸라지면서 바닥에 얼굴을 부딪쳤는지 입에서 피가 나고 있었다. 아무리 불러도 의식이 돌아오지 않았다. 쓰러진 여행자의 몸이 굳고 손발이 굽는 걸 눈으로도 확인할 수 있었다.

나는 당황해서 발만 동동 굴렀다. 말 그대로 머릿속이 새하얬다. 그런데 몰려든 인파 여기저기서 영웅들이 나타났다.

"제가 간호사예요!"

인파를 뚫고 달려온 누군가가 쓰러진 사람의 몸을 주무르기 시작했다. 곁에 섰던 직원이 휴대전화를 들고 119에 신고했다.

"인천공항 입국장으로 빨리 와주세요!"

그가 응급환자의 위치와 상태를 알리는 동안 다른 직원들은 몰려든 여행자를 통솔해 입국 안내를 해주고 있었다.

"심장제세동기 가져왔어요!"

또 다른 직원은 입국장 내에 비치된 제세동기를 바로 챙겨왔다. 간호사는 제세동기의 안내 음성에 맞춰 심폐소생술을 실시했다. 여행자의 의식은 돌아오지 않은 상태였다. 소방대원이 입국장에 도착하기까지 시간을 벌어야 했다. 그사이 간호사의 얼굴은 땀으로 흥건했다. 교대자가 필요했다. 그러던 중 또 다른 영웅들이 달려왔다. 항공사 승무원들이었다.

"저희도 할 수 있어요. 교대해드릴게요."

승무원들은 고군분투하던 간호사와 교대하여 인공호흡과 심폐소생술을 이어나갔다. 다행히 소방대원이 도착해 쓰러진 여행자를 종합병원으로 이송했다.

긴박했던 상황이 간신히 정리되고, 나는 간호사와 승무원들에게 감사를 전하고 싶었다. 그런데 그들은 이미 어디론가 사라진 뒤였다. 꼭 무엇에 홀린 것 같았다. 미리 말을 맞추지도 약속을 하지도 않았는데 긴급한 일이 벌어지자 모두가 함께 손발을 맞춰 대응했다는 게 믿기지 않았다. 기적 같았다. 텔레비전에서만 보던 영웅들이, 그날 내 앞에 있었다. 모두가 영웅이었다.

에어스타, 죽다 살아나다

에어스타는, 그 이름에서 알 수 있듯 명실공히 입국장의 아이돌이다. 에어스타의 주변에서는 웃음이 끊이질 않았다. 넓디넓은 공항 곳곳을 안내하고, 여행객에게 편의를 제공한다는 면에서도 그렇거니와 귀여운 외관 때문에도 그랬다.

많은 여행객이 에어스타와 함께 사진을 찍고 싶어 했다. 어린아이들이 한 줄로 서서 에어스타를 졸졸 따라다니는 풍경도 볼 수 있는데, 마치 어미 오리를 따라가는 새끼 오리 같아 지켜보는 이들도 어느새 흐뭇한 미소를 짓게 된다.

하지만 우리 세관원들에게는, 에어스타가 언제나 귀엽기만 한 것은 아니다. 에어스타는 심심하면 세관 선별라인 안까지 들어와 여행객 사이를 헤집고 다녔다. 그럴 때마다 나와 반장님은 에어스타를 세관 라인 바깥으로 내보내기 위해 무던히 애를 썼다.

겨우 멀리 보냈는가 싶으면 돌아오고, 돌아오고 하는 게 일상이었다. 어느 날은 아예 검사대 깊숙이까지 들어와 휴대품검사 과정을 구경하기도 했다. 세관이 왜 그리 좋은 건지, 얘가 정말 기계이기는 한 건지. 에어스타는 자꾸만 돌아왔다.

다행이라고 해야 할까, 불행이라고 해야 할까. 얼마 지나지 않아 우리 세관원 사이에서 에어스타의 천적이 한 사람 탄생했다. 퇴근을 앞둔 시간이었다. 기다렸다는 듯 에어스타가 세관 라인에 진입해 기다랗게 줄을 선 여행자 사이를 비집고 돌아다니기 시작했다.

교대까지 1분 남은 시점이었다. 우리는 바짝 약이 올라서, 에어스타를 쫓아다니며 그를 멀리 보내려고 애썼다. 에어스타는 버텼다. 아무리 생각해도 얘는 기계가 아닌 것 같았다. 그때였다. 우리가 하는 꼴을 멀찍이서 보고 있던 팀장님이 천천히 다가왔다.

"무슨 일이니?"

팀장님의 말씨는 상냥하고 차분했다. 우리는 자초지종을 털어놓았다. 팀장님은 우리의 얘기를 다 듣자마자 일말의 망설임도 없이, 에어스타의 목덜미를 잡더니 뒤통수에 있는 빨간 버튼을 눌렀다. UFC 파이터 김동현이 상대 선수에게 기요틴 초크*를 거는 것처럼 대단히 신속하고 간결한 동작이었다. 순간,

에어스타의 웃는 눈이 사라졌다.

에어스타가…… 죽었어?

팀장님은 전혀 애석해하지 않았다. 자리에 멈춘 에어스타를 그대로 질질 끌어서 세관 라인 바깥으로 내보냈다. 그러고는 멀뚱히 서 있던 우리를 향해 고개를 돌리고는 의기양양하게 웃었다. 그게 마치…… 대단한 사냥꾼 같아 보여서 우리는 매우 놀랐다. 걸 크러시[••]라는 단어가 머릿속을 스쳐 지나갔다. 팀장님은 유유히 원래 업무를 보던 장소로 가버렸다. 우리는 무사히 퇴근할 수 있었다.

세관 라인 바깥으로 밀려난 에어스타는 여전히 깨어나지 못한 채였다. 너무 허망한 최후라는 생각이 들었다. 비록 자꾸만 우리를 애먹였지만, 그래도…… 그렇게까지…… 할 필요는 없지 않았을까. 전원이 꺼져버린 에어스타를 떠올리니 마음이 약해졌다.

다음 날 출근을 하는데, 이상하게 긴장이 되고 가슴이 두근거렸다. 캐러셀 근처를 지날 때였다. 멀리서 천천히, 에어스타가 다가오고 있었다. 다행히 누군가 전원을 켜준 모양이었다.

• 기요틴 초크: 종합 격투기에서 상대의 머리를 겨드랑이 사이에 끼운 상태에서 위팔로 상대의 목을 감아 조르는 공격 기술.

•• 걸 크러시: 여성이 다른 여성을 선망하거나 동경하는 마음.

그는 죽지 않고 살아있었다.

하지만 이전과 달라진 점이 한 가지 있었다. 아무래도 기분 탓일 것 같기는 하지만, 우리 검사팀이 근무를 맡으면 에어스타가 세관 라인 근처에도 다가오지 않았다. 에어스타를 제압한 팀장님이 근처에 있을 때는 더더욱 그랬다.

에어스타는 정말 기계일까?

알 수 없는 일이다. 알 수 없으니, 앞으로는 물건이라고 해도 하나하나 신경 써서 다뤄야 할 것 같다. 어쨌거나 에어스타는 여전히 귀엽고…… 에어스타를 훌륭히 훈육한 팀장님께 감사하다.

Episode 01

Episode 02

Episode 03

Episode 04

Episode 05

Episode 06

Episode 07

Episode 08

Episode 09

 ··· Episode 10

나머지 이야기

. . .

영 앤 리치

긴박했던 그녀의 SOS

술은 인(人)당 한 병만 면세입니다

일주일의 사건일지

환급은 정당하게!

그 셔터는 제발 누르지 말아요, DJ

영 앤 리치

이 세상에는 정말 다양한 사람과 사연이 있다. 입국장에서 일하며 매일매일 느끼고 배우는 바다. 세상은 넓고, 사연이 많다. 또 생각보다 이 세상엔 부자도 많다. 경험상 하루에 한 번 정도는 특이한 사연을 가진 부자 사람을 만나는 것 같다.

그날도 검사대에서 업무를 보고 있었다. 딱 봐도 앳된 얼굴에 늘씬한 체격의 남자가 세관검사대에 들어왔다. 자기 몸보다 큰 배낭을 메고 있었다. 어린아이 한 명 정도는 너끈히 들어갈 정도로 컸다. 남자가 워낙 날씬한 체격이라, 꼭 집을 이고 다니는 것처럼 보였다.

"안녕하세요. 신고할 것 있나요?"

청년은 한국말이 서툰 외국인이었다. 더듬더듬 몇 마디 인사를 건네더니 조심스럽게 신고서를 들이밀었다. 외화신고 난에 체크가 되어 있었다. 금액란에는 무려 209만 달러가 적혀 있었다.

어, 그러니까…… 한화로 25억? 이걸 지금 신고하겠다고?

나는 이 엄청난 액수가 당황스럽고 또 미심쩍었다. 일반적으로 적게는 1~2만 달러에서 많게는 10만 달러 정도다. 그래서 실수로 0을 하나 더 붙인 게 아닐까 싶었다. 20만 달러도 꽤 큰 금액이니까.

"209만 달러라고 쓰셨는데 이 금액이 맞나요?"

"네, 맞아요!"

"금액 좀 확인할 수 있을까요?"

"네!"

청년은 대답과 동시에 등에 지고 있던 커다란 배낭을 검사대에 쿵 내려놓았다. 그가 가방 지퍼를 열었다. 가방 안이 100달러짜리 지폐 다발로 꽉 차 있었다. 태어나서 그렇게 많은 현금을 눈앞에서 직접 본 건 처음이었다. 은행도 아니고, 입국장에서.

그는 자기 몸보다 더 큰 가방에 집 한 채를 살 수 있는 돈을 욱여넣고 한국행 비행기에 올라탄, 의지의 외국인이었다. 대체 왜 계좌이체라는 편리한 방법을 생각하지 못했던 걸까? 알 수 없는 일이다. 이걸 현금다발로 들고 올 생각을 하다니. 나는 궁금함을 참지 못하고 물었다.

"이 돈 어디에 사용하실 건가요?"

"환전해서 쇼핑할 거예요!"

청년은 환하게 웃었다. 정말 순박해 보이는 얼굴이었다. 중국에는 상위 1% 부자가 우리나라 인구수만큼 있다더니, 그게 사실인가 보았다. 이 정도면 패리스 힐튼도 울고 가겠는데.

나는 가방 안에 가득 든 돈다발을 꺼내 헤아렸다. 한 뭉치에 1만 달러씩, 총 209개가 들어 있었다. 액수가 큰 만큼 돈을 세는 것도 일이었고 은행에 부탁해 위조 여부를 확인하는 건 더더욱 큰일이었다. 외화신고 절차를 마무리하기 위해 청년의 여권을 받아들었을 때, 그가 94년생임을 알게 되자 내 마음에도 큰일이 났다.

퇴근하고 집에 가는 길에, 나는 복권판매점을 들러 무려 2만 원어치의 로또를 샀다. 보통은 5천 원짜리 한 장만 샀는데 그날은 무려 25억 원을 손으로 만져본 특별한 날이었으니까 딴에는 크게 마음을 먹었다. 당연히 당첨되지는 않았지만. 대망의 토요일을 기다리는 동안 무척 행복했으니 됐다. 아무렴.

긴박했던 그녀의 SOS

여름 휴가철이 폭풍처럼 지나갔다. 9번 캐러셀 위에 나리타 발 기탁수하물이 하나둘 떨어졌다. 나는 선별라인에서 여행자를 맞이할 준비를 하고 있었다. 마감 시간이 다가오자 유독 어깨가 뻐근했다.

"지금 짐 나오는 거 마지막 비행기 맞지? 승객이 많은가?"

등 뒤에서 갑자기 누군가 말을 걸어왔다. 나는 소스라치게 놀라 뒤를 돌아보았다. L 팀장님이었다. 체구가 유난히 작고 가녀린 L 팀장님은 가끔 당신의 의도와 상관없이 고요한 가운데 불쑥 나타나 직원들을 놀라게 하곤 했다.

"120명 좀 안 되게 탄 것 같아요. 금방 끝날 것 같아요."

"그래, 조금만 더 고생하자."

L 팀장님은 따뜻한 미소를 남기고 자리를 떴다. 언제나 그

렇듯 소리 없이 스르륵. 팀장님은 무언가에 집중하고 있는 P쪽으로 다가갔다. 내일 새벽 도착 정보를 확인하고 있을 텐데, P는 곧 비명을 지를 것이다. 팀장님이 P의 등 뒤에 도착할 예정이니까.

"엄마얏!"

이 정도는 예상하기 쉽다.

그사이 막 주인을 떠나보낸 세관신고서가 수십 장 쌓였다. 주인을 기다리며 빙글빙글 돌고 있는 '캐리어'는 이제 몇 개뿐이다. 오늘 일과도 거의 마무리 단계였다. 마음속으로는 이미 입국장 셔터를 반쯤 내려놓았다.

그때였다. 여성 여행자 하나가, 선별라인을 향해 다가오고 있었다. 거동이 좀 수상해 보였다. 앞과 뒤, 좌우를 살피며 쉴 새 없이 두리번거렸다. 화장실을 찾고 있나. 아니면, 신고할 게 있어서 그러나.

여자는 가슴까지 내려오는 연갈색 염색 머리에, 베이지색 원피스와 하늘색 카디건을 입고 있었다. 작은 비닐백 하나와 기내용 캐리어 하나, 20대 초반 정도. 이웃 나라로 짧은 여행을 온 걸까. 행색은 그다지 수상하지 않았다.

그녀는 내게 세관신고서가 아니라 자신의 휴대전화를 내밀었다. 나도 종종 사용하는 번역 앱 화면이었다.

'남자는. 계속. 일본에서. 따릅니다.'

가까이서 보니 여자는 온몸을 덜덜 떨고 있었다. 남자가 따른다고? 남자가 따라온다는 뜻인가?

"남자는 어디에 있나요? 그는 누구인가요?"

나는 짧은 일본어로 다급히 물었다. 업무용 일본어 말고 생활 회화도 익혀둘걸. 대학에서 일본어를 전공한 직원 K가 퍼뜩 생각났다. 쉬는 시간일 텐데, 미안하게 되었지만 어쩔 수 없다. K의 도움이 필요했다.

그녀는 번역 앱을 종료하고 사진 한 장을 화면에 띄웠다. 조금 멀리서 찍은 것이었는데, 같은 비행기를 타려는 사람들 열댓 명이 찍혀 있었다. 여자는 그중 한 사람을 가리켰다. 파란색 체크무늬 점퍼를 입고 흰 크로스백을 멘 남자였다.

그녀의 눈에 눈물이 그렁그렁했다. 그 남자가 정확히 누구인지, 뭘 어째야 하는지는 정확히 알 수 없었다. 그렇지만 분명한 건 그녀의 상황이 좋지 않으며, 내게 도움을 요청하고 있다는 사실이었다.

여행자들은 계속 선별라인으로 들어오고 있었다. 그 남자가 언제 여기에 도착할는지는 모를 일이었다. 이미 나갔을 가능성도 있었다. 나는 다급하게 동료직원을 불렀다. 근처에 있던 P와 L 팀장님이 가장 먼저 달려왔다.

"여기 여행자분이 아무래도 스토킹을 당하고 있는 것 같아요."

"스토킹?"

"남자 사진도 있어요, 여기 보세요!"

머릿속으로 상상만 하던 걸 말로 뱉어놓으니 겁이 덜컥 났다. 여성을 노린 범죄가 자주 뉴스에 오르내리지 않나. 밤에 혼자 귀가하는 여성을 쫓아가서 폭행했다는 식의 이야기는 정말 남의 일 같지 않았다. 나 또한 밤늦은 시간 좁은 골목길에는 절대 얼씬도 하지 않으니까. 한국에 사는 한국인도 무서운데, 내 앞에 있는 그녀는 더더욱 무서울 것 같았다. 그녀에게 이곳은 말도 통하지 않는 생면부지의 장소니까.

그녀를 따라왔다는 남자는 어디에 있는 걸까? 혹시 다른 구역의 선별라인을 통해 밖으로 나갔으면 어쩌지? 만약 어딘가에서 그녀가 나오기만을 기다리고 있다면? 그녀를 아무 조치 없이 그대로 내보낼 수는 없었다.

"우선 인천공항 경찰대에 연락하는 게 좋을 것 같군요."

과장님이었다. 그 옆엔 연락을 받고 재빠르게 달려온 일본어 능력자 K도 함께였다. 이미 자초지종을 들은 모양이었다.

"여자분 말로는 나리타공항에서부터 계속 따라왔대요."

K가 그녀의 말을 전해주었다.

"처음에는 기분 탓이라고 생각했대요. 그런데 음식점이나 화장실, 면세점에 들르는 동안 계속 일정한 거리 안에 있었대요. 하필 같은 비행기까지 타게 돼서……."

유창한 일본어를 구사하는 K를 만나서인지, 그녀는 눈물을 줄줄 쏟으면서도 속사포처럼 사정을 털어놓았다.

"강남역 M 호텔로 갈 거래요. 리무진 타고 갈 예정이었는데, 밖에서 남자를 마주칠까 봐 너무 무섭대요."

과장님과 K는 경찰이 오기 전까지 그녀와 사무실에 가 있는 게 좋겠다고 했다. 과장님이 아끼는 G사의 손수건은 어느새 그녀의 눈물과 콧물로 범벅이 되었다. 딸에게 선물 받았다고 엄청나게 자랑했던 건데.

"과장님, 아직 여행자가 다 나오지 않았으니 저는 선별라인에서 좀 더 살펴보겠습니……."

입에서 힉! 하고 바람 빠지는 소리가 났다. 사색이 된 내 얼굴을 본 직원들이 일제히 뒤를 돌아보았다. 파란색 체크무늬 점퍼, 흰 크로스백. 사진 속 남자가 다가오고 있었다.

"토이레와 도꼬."

그는 내게 화장실이 어디냐고 물었다. 딱히 궁금해서 묻는 것 같지 않았다.

"토이레와 도꼬."

높낮이도, 감정도 없는 기계적인 물음. 그는 화장실이 어디냐고 묻고 있었지만, 시선은 줄곧 그녀에게 고정되었다. 과장님 곁에 서 있던 그녀는 얼어붙었다. L 팀장님은 그녀를 보호하기 위해 그녀의 앞을 막아섰다. 워낙 체구가 작아 그녀를 잘

가릴 수는 없었지만.

"과장님, 저기 경찰대 와요!"

선별라인의 업무를 대신 봐주던 P가 목청껏 소리쳤다. 과장님은 도착한 경찰대에게 상황을 설명했다. 조용한 사무실로 들어간 경찰대와 남자는 꽤 오랫동안 대화했다. 남자는 억울하다고 했다. 단지 가는 길이 같았을 뿐이라고. 그녀는 믿지 않았다. 그러나 아무런 증거가 없으니 난감했다. 그녀가 오해했을 가능성도 배제할 수 없었다.

"특별히 법적조치를 할 상황으로는 판단되지 않습니다. 하지만 여성분이 두려워하고 있으니 남성분이 공항리무진에 탑승해 출발한 게 확인되면 여성분을 보내는 게 좋겠습니다."

그녀는 괜찮을까? 공항 경찰대의 제안에 다행히 그녀도 안심하는 것 같았다. 그들은 체크무늬 점퍼의 남자를 데리고 입국장을 빠져나갔다. 몇 분 뒤 경찰대로부터 전화가 왔다. 그는 명동행 리무진을 타고 갔다고 했다. 서울 땅이 작은 건 아니지만, 관광객이 주로 가는 코스는 빤하지 않은가. 운이 없으면 넓은 땅에서도 다시 마주칠 수도 있었다. 나는 그녀가 계속 걱정됐다.

K와 나는 그녀가 강남행 리무진을 타기까지 함께 있기로 했다. 나는 K에게 자꾸만 이런저런 말을 통역해 달라고 부탁했다.

"명동 근처에는 절대 가지 말라고 전달해주겠어? 혹시 모르니 옷도 오늘 입은 건 입지 말라고 해줘."

K는 나의 말을 전달했다. 이내 두 사람은 일본어로 대화를 나누기 시작했다. 안심이 되나 보았다. 그때 처음으로 웃는 얼굴을 보았다. 누가 봐도 예쁘다고 할 만한 미인이었다. 예쁜 여자는 참 살기 피곤하겠구나. 서글픈 안도감도 느꼈다.

"저분 괜찮을까? 영어를 못 하는 것 같았는데."

리무진 차창에 비친 그녀가 과장님의 G사 손수건을 마구 흔들며 미소를 지었다. 아이고. 우리 과장님, 어쩌면 좋아.

"괜찮을 거예요."

K가 실실 웃으며 대답했다.

"성형수술 하러 온 거래요. 오늘은 M 호텔에서 자고 내일 오전에 바로 수술 받는다던데요?"

"뭐어? 저렇게 예쁜데?"

그렇지만 확실히, 그녀는 괜찮을 것 같았다. 얼굴을 바꾸는 것만큼 완벽한 조치가 어디 있겠어? 나는 비로소 어린 이방인에 대한 걱정을 완벽하게 떨쳐낼 수 있었다. 나도 K도, L 팀장님과 과장님 그리고 그 파란 체크무늬 점퍼를 입은 남자도 오늘의 그녀와는 완전히 이별이었다. 오직 과장님의 G사 손수건만 그녀와 쭉 함께할 것이다.

술은 인人당 한 병만 면세입니다

양주병을 보면 생각나는 사람이 있다. 그와는 전화 통화로 처음 만났다.

'안녕하세요, 인천세관 공항휴대품과입니다.'라는 짧은 인사말이 끝나기도 전에 그가 고함을 질렀다.

"아이 씨, 거기 왜 이렇게 멀어?"

나는 다소 얼이 빠져서, 응대할 타이밍을 놓치고 말았다.

"가깝다더니, 어? 지하 1층 지도에 나와 있는 거기 맞아? 내가 술 찾으러 가고 있으니까, 딱 꺼내놓으쇼!"

"술을 찾으러 오신다는 게 무슨 말씀인지요? 유치된 술을 찾으시려면 세금 납부 후 통관절차 거치셔야 합니다. 안내받으셨나요?"

그는 잠시 말이 없었다.

"아니 뭔 소리야. 여기 오면 찾을 수 있다고 했는데. 나랑 장난하는 거야, 뭐야?"

"뭔가 오해가 있는 것 같은데, 방문하시면 설명해 드리겠습니다."

사실 이 정도는 세관원에게는 특별한 일도 아니다. 늘 있는 일이니 이번에도 잘 설명하면 되겠거니 싶었다. 조금 기다리고 있자니까 사무실에 그가 들이닥쳤다. 추운 겨울이었는데, 반소매에 반바지 차림이었다. 팔뚝에 새겨 넣은 화려한 문신이 인상적이었다.

"진짜 짜증나네. 뭐 이렇게 먼 데까지 와서 술을 찾아가라 마라야? 여행 잘 다녀와서 이게 뭐야, 이게!"

그는 화가 많이 나 있는 것 같았다.

"선생님 이쪽으로 오세요. 무슨 일이신가요?"

"아니, 술 두 병 산 게 무슨 큰 죄라고. 당신들이 내 술을 한 병 가져갔잖아! 여기 오면 준다고 했으니까 얼른 돌려줘요."

"선생님, 면세 범위를 초과해 유치된 주류를 통관하려면 세금을 납부하셔야 합니다. 세율이 156%인데 구매하신 양주 가격이 15만 원 정도로 나오네요. 23만 원가량 세금을 내셔야 찾아가실 수 있습니다."

"이보세요. 아까 그 사람이 여기서 찾을 수 있다고 했다니까! 장난하는 것도 아니고 이랬다저랬다 말을 바꾸면 어떡해?

나도 바쁜 사람이야, 나도! 세금이 술값보다 더 나와? 진짜 미쳐버리겠네!"

기이한 일이었다. 사실을 확인하기 위해 술을 유치한 담당 직원과 통화를 해봐야 할 것 같았다.

"공항휴대품과입니다. 저희 부서에 양주 한 병 유치된 민원인이 오셨는데요. 혹시 '여기에' 오면 세금 없이 찾아갈 수 있다고 안내하셨나요?"

깊은 한숨이 수화기를 통해 흘러들었다.

"아닙니다. 그런 적 없고요. 술은 1인당 1병만 면세이기 때문에 초과분에 대해서는 세금 납부 후에 찾아가실 수 있다고 안내해 드렸습니다. 왜 그렇게 말씀하셨는지 모르겠습니다."

전화를 끊고 담당 직원과의 통화 내용을 그에게 공유했다. 그는 대번에 들고 있던 가방을 바닥에 집어 던졌다.

"이야, 이것들이 아주 사람을 바보로 아네. 내가 돈 때문이 아니라 너무 열 받아서 이 술 꼭 받아 가야겠다. 사람을 가지고 노네!"

분위기가 상당히 험악해졌다. 다른 직원들이 나서 그를 말려보았으나 소용없었다. 그는 점점 더 흥분했다.

"나한테 여기 오면 술 준다고 했던 그 새끼 내려오라 그래!"

욕을 내뱉는 말씨가 매우 찰졌다. 난리가 났다. 그쪽은 업무 중이라 이리로 올 상황이 안 된다고 해도, 그쪽에서는 분명 설명을 제대로 했다고 해도 모두 효과가 없었다. 그는 계속 욕설을 하며 억지를 부렸다. 놀랍게도 흥분한 그를 멈춘 건 뜬금없이 울린 그의 휴대전화였다.

"네. 형님, 지금 문제가 좀 있어서 늦을 것 같습니다."

어안이 벙벙했다. 저 사람, 정말 화가 나 있던 게 맞나 싶을 정도로 점잖은 태도와 목소리였다. 형님이라니, 세상에. 요즘 시대에. 어둠의 세계에 살짝 발을 걸친 사람이 아닐까 싶었다. 전화를 끊은 그는 담당자에게 직접 사과를 받겠다고 다시 재촉하기 시작했다. 실랑이가 이어졌다. 누군가 사무실로 들어서 그를 불렀다. 한창 분노하던 그의 자세가 대번에 깍듯해졌다.

"어쩐 일로 여기까지 오셨습니까? 제가 금방 가려고 했는데요."

"여기서 지금 뭐 하냐?"

"형님 드리려고 술을 좀 샀는데 여기서 그걸 가져갔지 말입니다. 제 돈 주고 산 술을, 세금 안 내면 못 가져간다는 게 말입니까? 따져서 가져가려고 기다리는 중입니다."

사실 나는 조금 놀랐다. 이처럼 차분한 그의 모습을 볼 수 있으리라고는 전혀 기대하지 못했기 때문이었다. 형님은 그의 설명을 다 듣고는 물었다.

"세금이 얼만데 그러냐?"

"술값보다 더 나온다고 합니다. 황당합니다."

"여기서 계속 기다리면 뭐가 해결되긴 하냐? 그러면 그냥 가야지. 별수 있냐."

"형님, 그래도 그냥 가는 게 좀 억울해서 말입니다."

형님은 법이 좀 통하는 사람인 것 같았다. 법이 그렇다는데 억울할 게 뭐가 있냐며 그를 달래기 시작했다.

"아까 직원분이 술 한 병만 면세라 안 하냐? 쪽팔리게 여기서 계속 이럴래?"

다행히 그가 좀 잠잠해졌다. 답이 안 나오던 일이었는데, 형님이 개입하니 해결이 되어가는 듯했다.

"그러지 말고, 너 저 위에 가서 과자나 좀 사 와라."

형님은 갑자기 면세점 봉투에서 양주병을 꺼냈다.

"그냥은 억울해서 못 간다고 안 했냐? 네가 갖고 온 술로 한 잔씩 하고 가자."

어째서 얘기가 그런 식으로 흐르는 건지 잘 알 수가 없었지만, 말릴 새도 없었다. 그는 과자를 사러 부리나케 달려 나갔다. 형님이 내게 말했다.

"저기요, 선생님들. 저희 여기서 딱 한 잔씩만 하고 가겠습니다. 민폐 끼쳐서 죄송합니다."

과자를 사서 돌아온 그와 형님은 종이컵에 양주 한 잔씩을 따르고 과자 안주와 함께 순식간에 잔을 비웠다. 그러고는 유유히 사무실을 떠났다.

일주일의 사건일지

인천공항은 설렘을 안고 방문하는 여행객으로 24시간 북적이는 곳이다. 하지만 지하 1층에 위치한, '휴대품통관 부서'의 존재를 아는 사람은 많지 않을 것이다. 나조차도 그랬다. 입사하기 전까지는 공항에 통관 업무를 맡아 보는 세관 사무실이 있고, 보이지 않는 곳에서 언제나 바쁘게 일하는 이들이 있다는 걸 몰랐다. 그리고 공항에서 물건을 잃어버리는 사람이 정말 많다는 사실도!

언제나 조용할 틈이 없는 우리 사무실은 항상 일정하게 바쁜 출입국장과는 다르게 월요일이 가장 바쁘다. 금요일 늦은 오후부터 주말이 지나가기를 기다렸을 민원인들이 문의 전화를 걸거나 통관 신청을 넣기 때문이다. 가장 사건 사고가 많은 날도 월요일이다. 복잡하고 까다로운 절차가 필요한 전화도 이

날 가장 많이 걸려온다.

그날도 그랬다. 10월의 어느 월요일 오전, 한 통의 전화와 함께 장장 1주일짜리 민원의 서막이 올랐다.

10월 21일 월요일. 오전 10시 30분.

"출국하면서 1만 달러를 잃어버렸는데요. 혹시 세관에 있나요?"

나는 순간 내 귀를 의심했다.

"1만 달러요?"

여행하면서 캐리어를 분실한 채 출국하는 사람도 많다. 그러니 1만 달러 정도는 잃어버릴 수 있고말고. 하지만 이건 돈인데? 1만 원도 아니고 자그마치 1만 달러인데?

"출국할 때 보안검색 받다가 흘린 것 같아요. 돈을 잃어버리면 세관에 문의해야 한다고 해서요."

그의 목소리에 걱정이 묻어났다. 나는 세관 전산에 등록된 습득물 목록을 살펴보았다. 공항에서 잃어버린 물품 중 세금이 부과될 수 있는 물품은 세관에 인계된다. 그러나 지금까지 들어온 분실물 중에 돈은 없었다.

"돈이 들어온 건 아직 없네요. 세관 접수까지 이틀 정도 걸리니까, 내일 오후쯤 다시 전화 주시겠어요?"

"오늘 아침에 잃어버렸는데요. 보안검색 직원이 보관하고 있다는 것도 확인했거든요. 비행기 시간이 촉박해서 일단 그대로 출국한 거예요."

방금 막 잃어버려서 공항 어디엔가 있을 물건이라도 누군가 세관에 전달해주지 않는 이상 우리로서는 알 길이 없다. 여러 사람의 손을 거쳐야 비로소 세관창고로 들어오는 탓이다.

"보안검색 직원이 주웠다면 바로 저희 쪽에 인계할 거예요. 내일 다시 연락하시면 세관으로 넘어왔는지 확인해드릴게요."

그는 알겠다며 전화를 끊었다. 내일은 꼭 확인되어야 할 텐데.

10월 22일 화요일. 오후 5시 45분.

나는 자신 있게 전화를 받았다. 습득물 목록에 1만 달러가 등록된 걸 확인했기 때문이지!

"안녕하세요, 선생님. 잃어버리신 것과 같은 금액의 돈이 세관으로 넘어 왔습니다. 한 달 안에 본인 여부 확인하시고 찾아가시면 됩니다."

와! 수화기 저편에서 안도의 한숨이 흘러나왔다.

"다행이네요. 그런데 제가 여기 한 달 살기 하러 나온 건데요. 어떻게 수령하죠?"

들어본 적 있다. 요즘 외국에서 한 달 살기가 유행이라고들 했다. 바로 이게 여행자 휴대품 업무의 묘미다. 100명의 여행객에겐 100가지의 이야기가 있고 이걸 가급적 비극이 아니라 희극으로 만드는 게 우리의 일이다.

"저희가 보관 기간을 연장해드릴게요. 귀국해서 직접 수령하시는 게 좋을 것 같아요."

"제가 잃어버린 내용도 확인해드렸고 등록된 거랑 금액도 똑같은데 또 확인이 필요한가요? 한 달 동안 쓸 생활비인데…… 여기서 받을 수는 없을까요? 급해서요."

"만 원짜리 물건이라도 본인확인이 필요합니다. 액수가 큰 돈인 만큼 더더욱 확인이 필요하기도 하고요. 이해해주세요."

"그럼 제가 한국을 다시 가든지 할게요."

한 달 살기를 위해서 어쩌면 몇 달을 고생해 모은 돈일 수도 있었다. 그래도 절차를 무시할 수는 없었다. 나도 답답하고, 그도 답답하고.

"메일 주소 불러주시면 돈 찾을 때 필요한 서류와 절차 보내드릴게요."

어쩌겠는가. 안내라도 잘해 드리는 수밖에.

10월 24일 목요일. 오후 5시 10분.

"제가 다 책임지겠다니까요? 저 한국에 못 들어가요."

한국에 잠깐 입국해서 돈을 수령하겠다던 그는 거칠게 화를 내기 시작했다. 알아보니 해당국에서 받은 장기체류 비자가 출국 시 소멸한다는 거였다. 생활비를 찾기 위해 한국으로 돌아오면 그대로 비자가 소멸하고 계속 그 나라에 있자니 생활비가 없는 진퇴양난에 빠져버린 것이다.

"선생님 상황은 충분히 이해하는데요. 본인확인이 꼭 필요한 상황이에요. CCTV 확인이 힘들다면 최소한 환전했다는 증빙 자료라도 주셔야 해요."

"환전을 조금씩 자주 해서 아무 자료도 없다고 말했잖아요! 그럼 친구가 대신 가서 CCTV 확인하게 해주세요. 법적 책임은 제가 다 질 테니까 그냥 좀 주세요. 네?"

"방법이 있는지 제가 좀 더 알아보고 연락드릴게요."

나는 그와 통화를 끝낸 후 인천공항 대테러상황실에 연락을 넣었다. 그렇지만 CCTV는 경찰 수사 목적 외에는 본인 없이 열람이 불가하다는 답변을 받았다. 반드시 본인이 방문해야 하는 상황이었다. 이걸 어떻게 해결해야 좋단 말인가.

10월 25일 금요일. 오후 4시 30분.

그와 나는 며칠에 걸쳐 관련 부서 여기저기에 전화를 걸었다. 상의와 부탁을 반복한 끝에, 대리인과 우리가 CCTV를 확인할 수 있게 되었다.

"어? 물건 꺼낸다!"

분실자는 기내 캐리어 안에 있는 화장품 때문에 엑스레이 검색대에서 개장검사를 받았는데, 그때 현금 봉투를 함께 꺼냈다고 했다. 그런데 화장품을 꺼내는 장면은 선명히 잘도 찍혔는데 운명의 장난처럼 현금은 사각지대에 흘러 들어간 모양이었다. 화면에 보이질 않았다.

30분쯤 여러 CCTV를 번갈아 돌려보았다. 우리는 기어이 현금 봉투를 확인할 수 있는 화면을 찾아냈다. 저녁 8시가 다 되어서야 사무실에 돌아와 분실자의 각서, 대리인의 각서를 받고 금액을 확인한 후에 잃어버린 돈을 돌려드릴 수 있었다.

그렇게 후련할 수가 없었다. 커다란 숙제를 하나 끝낸 느낌이었다. 아마 그는 나보다 더 날아갈 것 같은 느낌이겠지?

나도 여행을 다니면서 보안검색 후 짐은 그대로 두고 몸만 빠져나오기, 은행일 보고 지갑 두고 오기, 식당에 가방 두고 오기 등등 분실 전적이 화려한 편이다. 그래서 무언가를 잃어버린 사람들에게 걸려오는 전화를 받을 때마다 남의 일 같지가 않다.

그렇지만! 즐거운 여행을 위해, 캐리어와 돈만큼은 무슨 일이 있더라도 잊지 말고 꼭! 챙기기를 당부한다.

환급은 정당하게!

도대체 이 많은 사람이 다 어디에서 와서, 어디로 가는 걸까?

사람들이 끝없이 내 앞에 줄지어 서 있었다. 끝이 보이지 않을 정도였고, 끝났다 싶으면 새 줄이 다시 생겼다. 세관 반출확인 도장을 받기 위한 인파로 대개는 외국인이다. 귀국 전에 한국에서 구매한 물품의 부가세를 환급받으려는 이들이 이곳을 찾는다.

단체 여행객이 몰리기라도 하면 정말 큰일인데, 짧은 외국어와 손짓 발짓을 동원해 소통해야 하는 데다 영수증의 구매내역과 같은 물품을 소지하고 있는지 일일이 확인해야 한다. 함께 온 가이드가 통역까지 해주면 그나마 좀 수월하다.

한 무리의 단체 여행객을 떠나보내고, 한숨 돌리려던 때였다. 중국인 여성 여행객 한 명이 다가와 영수증 한 뭉치를 건넸다.

"스탬프."

도장을 찍어 달라는 말인 것 같았다. 출국하는 여행객이라고 보기에는 복장이 다소 간소해 의아했다.

"키오스크 기계에서 스캔하셨나요? 스캔 먼저 하셔야 해요."

"네. 스캔하고 왔어요."

"여권하고 티켓 주시겠어요?"

"여권 없는데요."

여권이 없다니? 이게 무슨 말이지? 출국하는 여행객이 여권 없이 공항에서 세금 환급을 받겠다고?

"이 영수증 누구 건가요?"

"친구 건데 제가 대신 왔어요."

"환급받으려면 본인이 직접 와야 해요."

"친구는 항공사 카운터에서 수속 중이에요."

나는 그녀에게 먼저 체크인을 하고 친구와 함께 오라고 안내했고, 그녀는 영수증을 가지고 항공사 카운터 방향으로 사라졌다.

잠시 후 그녀와 그녀의 친구가 다시 나타났다. 이번에는 영수증과 여권, 티켓을 들고서였다. 나는 그녀의 친구에게서 건네받은 영수증과 여권의 출입국 내역을 대조하면서 물건을 확인할 수 있게 가방을 열어달라고 부탁했다.

외국인이더라도 모두 환급을 받을 수 있는 건 아니기 때문이다. 국내에서 영업활동을 하거나, 주소지를 두고 6개월 이상 체류하면 환급 대상에서 제외된다. 보통은 한국에서 대학을 다니는 유학생들이 이 사실을 모르고 환급 신청을 했다가 거절당하곤 했다.

그녀와 그녀의 친구는 국내 체류 기간이 6개월을 넘지 않았다. 영수증에 적힌 인적사항과 여권의 이름, 여권번호도 일치했다. 특별한 이상이 발견되지 않아 구매 물품만 확인하면 되겠구나, 생각한 순간이었다.

날짜가 달랐다!

물품을 구매한 날과 한국에 체류한 기간이 서로 맞지 않았다. 영수증에 찍힌 물건을 구매한 날, 여권의 주인은 한국이 아니라 중국에 있었던 것이다. 나는 팀장님을 긴급 호출했다. 상황을 전해 들은 팀장님은 두 중국인 여행객에게 다시 질문했다.

"구매 일자가 4월 6일인데, 그때는 한국에 없고 중국에 있었네요. 어떻게 이럴 수 있죠?"

그러자 처음 도장을 받으러 왔던 여행객이 나서서 실토했다. 친구 몇 명이 구매해 모아뒀다가 친구가 출국한다고 해서 대신 부탁한 거라고 했다. 나는 다른 방향에서 또 깜짝 놀라고 말았다. 그녀는 이 말을 한국어로 했다. 한국말을 할 줄 알았던 거다.

그전까지는 한국어를 전혀 모르는 관광객인 것처럼, 영어와 중국어를 섞어가며 대화하고 있었다. 한국어를 잘하면 유학생이나 한국에 거주하는 중국인으로 의심을 받을까 봐, 영어와 중국어로만 대화를 한 모양이었다.

한국어로 한 질문에 대답하는 외국인의 경우 국내에 장기체류 중일 확률이 높아 출입국 내역과 외국인등록증을 함께 확인한다. 그녀는 그 사실을 정확히 알고 처음부터 연극을 했던 것이다. 나는 괘씸한 마음을 담아 제출받은 영수증에 비환급대상 확인 도장을 쾅 찍었다.

그 셔터는 제발 누르지 말아요, DJ

평소 모 연예인의 열렬한 팬이었던 친구 한 명이, SNS에 돌아다니는 사진 한 장을 캡처해 보내줬다.

"혹시 이거 네 뒤통수 아니야?"

친구가 보내준 사진을 확대해 들여다보니 정말 나였다. 친구가 사랑해 마지않는 그 연예인의 신고서를 받을 때, 덩달아 뒷모습이 찍힌 거였다. 처음에는 마냥 신기했지만 실태를 알고 나니 웃을 수만은 없었다.

공항에서 근무하는 직원이라면 누구나 한 번쯤 입출국하는 연예인과 마주친다. 그들이 지나가기로 한 출구 앞에는 대중목욕탕에서나 볼 수 있는 낮은 의자와 전등을 교체할 때 쓰는 사다리 등이 즐비하다.

세간에서는 이들을 '대포부대'라 하는데, 연예인을 따라다니며 대포 같은 카메라로 고화질의 사진을 찍는 팬들을 일컫는 말이다. 그들은 자신이 좋아하는 연예인의 출입국 정보를 다양한 방법으로 입수해서, 공항에 도착한 연예인의 일거수일투족을 촬영한다. 때로는 촬영한 사진을 다른 팬에게 판매하기도 한다.

그들이 촬영한 사진을 찾는 일은 어렵지 않다. 트위터나 인스타그램 등 다양한 SNS를 통해 유포되기 때문이다. 출국 일자와 출발지, 해당 연예인의 이름을 검색하면 가공되지 않은 1차 원본 자료를 사고파는 이들을 많이 볼 수 있다. 좋아하는 연예인의 사진을 찍는 게 무슨 문제인가 싶겠지만, 초상권 문제와 항공보안법을 고려하면 얘기가 달라진다.

이에 관해서는 몇 년 전 언론에서도 다룬 적이 있다. 연예인의 출입국 정보를 고의로 유출하는 브로커와 이를 구매하는 전문 업자가 있다는 내용이었다. 대부분 현금으로만 거래하기 때문에 불법임에도 추적하기가 쉽지 않고 거래 과정에서 거액의 현금을 갈취하는 사건도 일어났다.

문제는 여기에서 그치지 않고 면세구역에서도 일어난다. 항공보안법상 면세구역과 보안통과구역, 수하물 수취구역 등에서는 사진 촬영이 금지되어 있다. 하지만 '대포부대'는 아랑곳없다. 이들은 위법행위도 마다하지 않았다.

연예인이 탑승하는 비행기 편명을 미리 알아내서 같은 항공편을 예약하기도 한다. 연예인을 확인한 다음 출국 직전에 티켓을 취소하는 일도 빈번하다. 이를 방지하기 위해 국내 항공사에서는 기존의 취소 위약금에 20만 원의 추가 수수료를 부과하기도 했다.

실제로 연예인을 따라 탑승했던 극성팬 몇 명이 출발 직전 비행기에서 내리겠다고 요청한 사건이 있었다. 현행 규정상 이륙 직전의 여객기에서 승객이 내리게 되면, 테러 등의 우려 때문에 탑승한 승객 전원을 전부 내리게 하고 보안점검을 다시 진행해야 한다. 이날 해당 항공편은 약 1시간가량 출발이 지연되었다. 피해는 고스란히 다른 승객들에게 돌아갔다.

출국뿐만 아니라 연예인이 입국하는 현장에서도 문제는 발생한다. 입국장 내에서의 촬영은 항공보안법상 금지되어 있지만, 비행기 착륙 후 입국장으로 내려오는 에스컬레이터에서부터 대포부대가 나타난다. 심지어는 법무부 입국심사 도중에도 플래시가 터진다. 그들은 단 하나의 장면도 놓치지 않는다.

안전상의 문제도 물론 있다. 대포부대는 용감하다. 여행객의 출입을 통제하려 설치한 배리어 펜스를 무단으로 뛰어넘고, 너무 많은 팬이 한자리에 몰려 넘어지면서도 촬영만큼은 포기하지 않는다. 급기야 연예인이 다친 적도 있었다. 사고의 가능성은 언제나 존재한다.

요즘에는 온라인 쇼핑몰이 활성화되면서 쇼핑몰에서 사진

작가, 모델이 함께 해외 출장을 다녀오는 경우가 잦다. 판매하는 상품을 촬영하고 홍보하기 위해서다. 해외에서 촬영한 사진이 모자란 것인지, 입국장 캐러셀 주위에서 촬영을 시도하는 경우가 종종 있다. 이 또한 항공보안법 위반 사항이다.

현장에서 근무하는 직원들은 이에 대응하려고 늘 노력한다. 하지만 제지당한 이들이 민원을 내는 경우도 부지기수다. 법을 위반한 건 맞지만, 직원의 통제가 기분이 나빴다는 것이다. 무심코 찍은 사진 한 장이 법을 어기는 행위가 될 수 있다는 사실을 잊지 않았으면 좋겠다.

불안해요?
지켜보는 저도 불안해요

초판 1쇄 발행 2021년 3월 26일
초판 2쇄 발행 2021년 6월 10일

지은이 공휴일

발행인 김성룡
편집 김은희
디자인 은디자인

펴낸곳 도서출판 가연
주소 서울시 마포구 월드컵북로 4길 77, 3층
(동교동, ANT 빌딩)
전화 02-858-2217
팩스 02-858-2219
이메일 2001nov@naver.com

ISBN 978-89-6897-088-7 03840

이 책의 판매 수익금은 장애인단체에 기부됩니다.